biblio Théâtre

Le Médecin malgré lui

MOLIÈRE

Notes et questionnaires
par Chantal GRENOT,
agrégée de Lettres modernes

Dossier Bibliocollège
par Isabelle de LISLE,
agrégée de Lettres modernes,
professeur en collège

Crédits photographiques :

pp. 4, 56, 80, 81, 119 : photothèque Hachette Livre. **p. 9 et pp. 11, 45, 75 (détail) :** Acte II, scène 4, gravure à l'eau forte de Frédéric Désiré Hillemacher (1867), © Photothèque Hachette Livre. **pp. 15, 44, 66 :** Photographie Compagnie Ecla Théâtre. **p. 71 :** photographie collection Viollet. **p. 88 :** collection Comédie-Française. **p. 113 :** Bassin d'Apollon et perspective sur le château de Versailles, © Photothèque Hachette Livre. **p. 116 :** haut : photographie Jean-Loup Charmet ; bas : photographie Jean-Claude Dewolf. **p. 122 :** photographie ND Viollet. **p. 123 :** Geoffroy dans le rôle de Sganarelle, acte II, scène 6, gravure de L. Wolff (1868), collection Comédie-Française. **p. 138 :** Versailles, Bibliothèque municipale centrale, Photo © Photothèque Hachette Livre.

Rabats et plats 2 et 3 de couverture :

Documents 1 et 2 : Photographie Daniel Cande, © BNF. **Document 3 :** Bibliothèque des Arts décoratifs, Archives Charmet, © Bridgeman Images. **Document 4 :** Photo Compagnie Colette Roumanoff.

La bande dessinée des pages 5 à 8 a été réalisée par Sylvain Frécon.

Dossier pédagogique téléchargeable gratuitement sur : www.enseignants.hachette-education.com

Imprimé en Mai 2020 en Espagne par BlackPrint – Dépôt légal : 06/2017 – Édition : 07 – 36/5603/6

Maquette de couverture : Stéphanie Benoit

Maquette intérieure : GRAPH'in-folio

Composition et mise en pages : APS

ISBN : 978-2-01-394977-4

www.hachette-education.com

Sommaire

1 L'auteur

2 *Le Médecin malgré lui*

3 Dossier Bibliocollège

L'essentiel sur l'auteur

Molière est un comédien du XVIIe siècle. Il écrit ses comédies pour la troupe qu'il dirige et s'attribue les rôles comiques importants.

Molière écrit en 1666 *Le Médecin malgré lui* qui reprend l'histoire du *Médecin volant* composé vers 1650. Comme souvent, Molière s'y moque des médecins prétentieux.

JEAN-BAPTISTE POQUELIN, dit MOLIÈRE (1622-1673)

Ses contemporains :
- Les comédiens italiens de la *commedia dell'arte*.
- Corneille et Racine, auteurs de tragédies, genre noble.

Ses principaux protecteurs :
- Le prince de Conti et Monsieur, frère du roi, qui seront ses premiers protecteurs.
- Louis XIV, grand défenseur des arts, qui le soutiendra.

Biographie

Fils d'un tapissier de Louis XIV, Jean-Baptiste Poquelin (qui deviendra Molière en 1646) est très tôt fasciné par la comédie et le comédien italien Tiberio Fiorilli.

Après avoir fondé, avec Madeleine Béjart, L'Illustre-Théâtre (1643), Molière parcourt la France.

Lyon, 1655.
Si *L'Étourdi* plaît, nous le jouerons à Paris !

NOUS ALLONS JOUER DEVANT LE ROI !

1659, salle du Petit-Bourbon, où se joue avec succès *Les Précieuses ridicules*.
Quel talent !
Le roi lui-même a ri !
Encore mieux que *L'Étourdi*.

En 1664, Molière met en scène *Le Tartuffe*.
Cachez ce sein que je ne saurais voir.
Molière ose critiquer les religieux !

Que votre majesté interdise ce *Tartuffe* de monsieur Molière !

INTERDIRE MA PIÈCE DÈS SA PREMIÈRE REPRÉSENTATION !
JE ME BATTRAI !

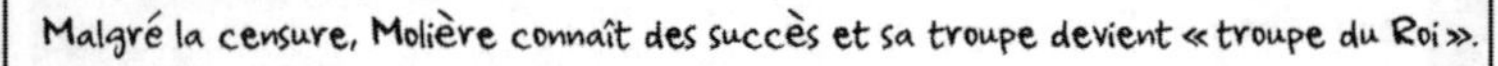
Malgré la censure, Molière connaît des succès et sa troupe devient « troupe du Roi ».

1665
Dom Juan

1666
Le Misanthrope
Le Médecin malgré lui

1671
Les Fourberies de Scapin

En 1673, Molière joue sa dernière comédie, *Le Malade imaginaire*.
Il a l'air vraiment malade.
Mais non, il joue la comédie !

À la 4e représentation, Molière fait un malaise.
RIDEAU !
EMMENEZ-LE !

Molière décède quelques heures plus tard.
Il est enterré en secret.

PERSONNAGES

SGANARELLE : mari de Martine.
MARTINE : femme de Sganarelle.
M. ROBERT : voisin de Sganarelle.
VALÈRE : domestique de Géronte.
LUCAS : mari de Jacqueline.
GÉRONTE : père de Lucinde.
JACQUELINE : nourrice chez Géronte et femme de Lucas.
LUCINDE : fille de Géronte.
LÉANDRE : amant[1] de Lucinde.
THIBAUT : père de Perrin.
PERRIN : fils de Thibaut, paysan.

Le premier acte se passe dans une clairière près de la maison de Sganarelle. Les actes II et III se passent dans une pièce de la maison de Géronte.

Note

1. **amant** : amoureux, soupirant.

MOLIÈRE

Le Médecin malgré lui

Acte I

SCÈNE 1

SGANARELLE, MARTINE, *apparaissant sur le théâtre en se querellant*[1]

1 SGANARELLE – Non, je te dis que je n'en veux rien faire, et que c'est à moi de parler et d'être le maître.

MARTINE – Et je te dis, moi, que je veux que tu vives à ma fantaisie, et que je ne me suis point mariée avec toi pour souffrir
5 tes fredaines[2].

SGANARELLE – Ô la grande fatigue que d'avoir une femme ! et qu'Aristote[3] a bien raison, quand il dit qu'une femme est pire qu'un démon !

MARTINE – Voyez un peu l'habile homme, avec son benêt
10 d'Aristote !

SGANARELLE – Oui, habile homme : trouve-moi un faiseur de fagots qui sache, comme moi, raisonner des choses, qui ait servi six ans un fameux médecin, et qui ait su, dans son jeune âge, son rudiment[4] par cœur.

Notes

1. **se quereller** : se disputer.
2. **souffrir tes fredaines** : supporter tes écarts de conduite.
3. **Aristote** : célèbre philosophe grec (du IVe siècle av. J.-C.).
4. **rudiment** : (du latin *rudimentum* : apprentissage) petit livre qui contenait les notions élémentaires de la grammaire latine.

15 MARTINE – Peste du fou fieffé[1] !

SGANARELLE – Peste de la carogne[2] !

MARTINE – Que maudits soient l'heure et le jour où je m'avisai d'aller dire oui !

SGANARELLE – Que maudit soit le bec cornu[3] de notaire qui me
20 fit signer ma ruine !

MARTINE – C'est bien à toi, vraiment, à te plaindre de cette affaire ! Devrais-tu être un seul moment sans rendre grâces au Ciel de m'avoir pour ta femme ? et méritais-tu d'épouser une personne comme moi ?

25 SGANARELLE – Il est vrai que tu me fis trop d'honneur, et que j'eus lieu de me louer la première nuit de nos noces[4] ! Hé ! morbleu[5] ! ne me fais point parler là-dessus : je dirais de certaines choses...

MARTINE – Quoi ? que dirais-tu ?

30 SGANARELLE – Baste[6], laissons là ce chapitre. Il suffit que nous savons ce que nous savons, et que tu fus bien heureuse de me trouver.

MARTINE – Qu'appelles-tu bien heureuse de te trouver ? Un homme qui me réduit à l'hôpital[7], un débauché, un traître,
35 qui me mange tout ce que j'ai ?

SGANARELLE – Tu as menti : j'en bois une partie.

MARTINE – Qui me vend, pièce à pièce, tout ce qui est dans le logis.

Notes

1. **fieffé** : qui a atteint le dernier degré d'un défaut, d'un vice ; *fou fieffé* : fou au plus haut degré.
2. **carogne** : (terme populaire et injurieux) charogne, c'est-à-dire femme méprisée.
3. **bec cornu** : (de l'italien *becco cornuto* : bouc à cornes) sot, imbécile.
4. **j'eus lieu de me louer la première nuit de nos noces** : Sganarelle fait remarquer à Martine (en utilisant l'ironie) qu'il n'était pas son premier amant le soir de ses noces.
5. **morbleu** : (je te le jure par la mort de Dieu) juron marquant la colère.
6. **Baste** : (de l'italien : *basta*) ça suffit ! assez !
7. **l'hôpital** : on y hébergeait alors les malades et les pauvres.

SGANARELLE – C'est vivre de ménage[1].

40 MARTINE – Qui m'a ôté jusqu'au lit que j'avais.

SGANARELLE – Tu t'en lèveras plus matin.

MARTINE – Enfin qui ne laisse aucun meuble dans toute la maison.

SGANARELLE – On en déménage plus aisément.

45 MARTINE – Et qui, du matin jusqu'au soir, ne fait que jouer et que boire.

SGANARELLE – C'est pour ne me point ennuyer.

MARTINE – Et que veux-tu, pendant ce temps, que je fasse avec ma famille ?

50 SGANARELLE – Tout ce qu'il te plaira.

MARTINE – J'ai quatre pauvres petits enfants sur les bras.

SGANARELLE – Mets-les à terre.

MARTINE – Qui me demandent à toute heure du pain.

SGANARELLE – Donne-leur le fouet : quand j'ai bien bu et bien
55 mangé, je veux que tout le monde soit saoul[2] dans ma maison.

MARTINE – Et tu prétends, ivrogne, que les choses aillent toujours de même ?

SGANARELLE – Ma femme, allons tout doucement, s'il vous plaît.

60 MARTINE – Que j'endure éternellement tes insolences et tes débauches ?

SGANARELLE – Ne nous emportons point, ma femme.

MARTINE – Et que je ne sache pas trouver le moyen de te ranger[3] à ton devoir ?

Notes

1. **vivre de ménage** : sens propre, vivre en ménageant la dépense, donc avec économie ; sens figuré, en vendant les ustensiles du ménage. Sganarelle joue sur les mots.

2. **saoul** : rassasié.

3. **ranger** : ramener.

65 SGANARELLE – Ma femme, vous savez que je n'ai pas l'âme endurante, et que j'ai le bras assez bon.

MARTINE – Je me moque de tes menaces.

SGANARELLE – Ma petite femme, ma mie[1], votre peau vous démange, à votre ordinaire[2].

70 MARTINE – Je te montrerai bien que je ne te crains nullement.

SGANARELLE – Ma chère moitié, vous avez envie de me dérober quelque chose[3].

MARTINE – Crois-tu que je m'épouvante de tes paroles?

SGANARELLE – Doux objet de mes vœux, je vous frotterai les 75 oreilles.

MARTINE – Ivrogne que tu es!

SGANARELLE – Je vous battrai.

MARTINE – Sac à vin!

SGANARELLE – Je vous rosserai!

80 MARTINE – Infâme!

SGANARELLE – Je vous étrillerai[4].

MARTINE – Traître, insolent, trompeur, lâche, coquin, pendard[5], gueux[6], bélître[7], fripon, maraud[8], voleur...!

SGANARELLE *(Il prend un bâton et lui en donne.)* – Ah! vous en 85 voulez donc!

MARTINE – Ah! ah, ah, ah!

SGANARELLE – Voilà le vrai moyen de vous apaiser.

Notes

1. **ma mie** : (de *m'amie*) mon amie.
2. **à votre ordinaire** : à votre habitude.
3. **me dérober quelque chose** : me voler une gifle ou des coups de bâton (comme si Martine voulait obliger Sganarelle à les lui donner!).
4. **étriller** : brosser un cheval, le frotter avec « l'étrille » (brosse en fer à lames dentelées). Ici : battre, malmener.
5. **pendard** : homme qui mérite la pendaison.
6. **gueux** : misérable, fripon.
7. **bélître** : (terme injurieux) coquin, homme de rien.
8. **maraud** : coquin.

Jean-Jacques Pivert (Sganarelle) et Brigitte Belle (Martine), Compagnie Ecla Théâtre, mise en scène de Didier Lafaye (1999).

Au fil du texte

Questions sur l'acte I, scène 1 (pages 11 à 15)

Avez-vous bien lu ?

1. Qui sont les personnages ?
2. Qu'apprenez-vous de chacun d'eux ?
3. Où la scène se déroule-t-elle ?
4. Dites en une phrase ce qui se passe dans cette scène.
5. Choisissez le titre qui convient le mieux pour illustrer cette scène :

   a) Une scène d'amour.

   b) Une scène dramatique.

   c) Une scène de ménage.

   Justifiez votre réponse.

La dispute

6. Relevez les injures que Martine adresse à Sganarelle.
7. Quelles sont celles que l'on pourrait encore employer aujourd'hui ?
8. Relevez un jeu de mots de Sganarelle.
9. Relevez tous les pronoms qui désignent Martine quand Sganarelle s'adresse à elle.
10. Que remarquez-vous à partir de la ligne 56 ? Qu'en déduisez-vous ?
11. Quels signes de ponctuation sont couramment utilisés à la fin de chaque réplique ? Pourquoi ?

12 La réplique de Martine enchaîne une suite de mots placés entre virgules : *« traître, insolent, trompeur, lâche, coquin, pendard, gueux, bélître, fripon, maraud, voleur… ! »*. Comment appelle-t-on ce procédé d'écriture ?

a) Une énumération.

b) Une comparaison.

LE GENRE DU TEXTE

Les sources d'inspiration de Molière

Quand il n'écrit pas des grandes comédies, comme *Tartuffe* ou *Le Misanthrope,* Molière s'inspire de la farce médiévale française et du théâtre italien (*commedia dell'arte*) : acrobaties, coups de bâton, disputes plaisent beaucoup à un public populaire.

13 À quel genre appartient *Le Médecin malgré lui*. Retrouvez, dans la scène 1 de l'acte I, un élément qui justifie votre réponse.

14 Quelle est la réaction que l'on attend du spectateur ?

LA PLACE ET LA FONCTION DE LA SCÈNE

15 La première scène d'une pièce de théâtre nous apprend qui sont les personnages et elle situe l'action. On l'appelle :

a) élément de perturbation ;

b) scène d'exposition ;

c) dénouement.

À VOS PLUMES !

16 En vous aidant de la question 12, rédigez une phrase dans laquelle vous utiliserez une énumération.

17. Rédigez une ou deux phrases pour dire ce qui vous a fait rire dans cette scène.

18. Choisissez un partenaire pour former une équipe de deux.
Rédigez une scène de ménage sous forme d'un dialogue de théâtre.
Pensez bien :
– aux didascalies*, que vous noterez en couleur ;
– à la façon dont la scène va se terminer ;
– à la ponctuation du dialogue.

*** *didascalies* : indications de mise en scène données par l'auteur.**

Mise en scène

19. Essayez de jouer le dialogue que vous avez écrit à la question 18.

20. Sur quel ton les personnages doivent-ils se parler ? N'oubliez pas les gestes qui accompagnent les paroles.

SCÈNE 2

M. ROBERT, SGANARELLE, MARTINE

1 M. ROBERT – Holà, holà, holà! Fi![1] Qu'est ceci? Quelle infamie! Peste soit le coquin, de battre ainsi sa femme!

MARTINE, *les mains sur les côtés, lui parle en le faisant reculer, et à la fin lui donne un soufflet*[2]. – Et je veux qu'il me batte, moi.

5 M. ROBERT – Ah! j'y consens de tout mon cœur.

MARTINE – De quoi vous mêlez-vous?

M. ROBERT – J'ai tort.

MARTINE – Est-ce là votre affaire?

M. ROBERT – Vous avez raison.

10 MARTINE – Voyez un peu cet impertinent, qui veut empêcher les maris de battre leurs femmes.

M. ROBERT – Je me rétracte[3].

MARTINE – Qu'avez-vous à voir là-dessus?

M. Robert – Rien.

15 MARTINE – Est-ce à vous d'y mettre le nez?

M. Robert – Non.

MARTINE – Mêlez-vous de vos affaires.

M. ROBERT – Je ne dis plus mot.

MARTINE – Il me plaît d'être battue.

20 M. ROBERT – D'accord.

MARTINE – Ce n'est pas à vos dépens[4].

M. ROBERT – Il est vrai.

1. Fi! : interjection marquant le dégoût, le mépris.
2. soufflet : gifle.
3. Je me rétracte : je reviens sur ce que j'ai dit.
4. Ce n'est pas à vos dépens : ce n'est pas vous qui en faites les frais (la dépense).

MARTINE – Et vous êtes un sot de venir vour fourrer où vous n'avez que faire.

25 M. ROBERT *(Il passe ensuite vers le mari, qui pareillement lui parle toujours en le faisant reculer, le frappe avec le même bâton et le met en fuite ; il dit à la fin :)* – Compère[1], je vous demande pardon de tout mon cœur. Faites, rossez, battez comme il faut votre femme; je vous aiderai, si vous le voulez.

30 SGANARELLE – Il ne me plaît pas, moi.

M. ROBERT – Ah! c'est une autre chose.

SGANARELLE – Je la veux battre, si je le veux; et ne la veux pas battre, si je ne le veux pas.

M. ROBERT – Fort bien.

35 SGANARELLE – C'est ma femme, et non pas la vôtre.

M. ROBERT – Sans doute.

SGANARELLE – Vous n'avez rien à me commander.

M. ROBERT – D'accord.

SGANARELLE – Je n'ai que faire de votre aide.

40 M. ROBERT – Très volontiers.

SGANARELLE – Et vous êtes un impertinent de vous ingérer des affaires d'autrui[2]. Apprenez que Cicéron[3] dit qu'entre l'arbre et le doigt il ne faut point mettre l'écorce. *(Ensuite il revient vers sa femme, et lui dit, en lui pressant la main :)*

45 Ô çà, faisons la paix nous deux. Touche là[4].

MARTINE – Oui! après m'avoir ainsi battue!

SGANARELLE – Cela n'est rien, touche.

Notes

1. Compère : au XVIIe siècle, camarade, compagnon. Complice en astuces, en supercheries (voir l'emploi chez La Fontaine : *compère renard*...).

2. vous ingérer des affaires d'autrui : vous mêler des affaires des autres (aujourd'hui, *ingérer* se construit avec la préposition *dans*).

3. Cicéron : célèbre homme politique et orateur latin du Ier siècle av. J.-C.

4. Touche là : touche ma main pour dire que tu me pardonnes.

MARTINE – Je ne veux pas.

SGANARELLE – Eh!

50 MARTINE – Non.

SGANARELLE – Ma petite femme!

MARTINE – Point.

SGANARELLE – Allons, te dis-je.

MARTINE – Je n'en ferai rien.

55 SGANARELLE – Viens, viens, viens.

MARTINE – Non : je veux être en colère.

SGANARELLE – Fi! c'est une bagatelle[1]. Allons, allons.

MARTINE – Laisse-moi là.

SGANARELLE – Touche, te dis-je.

60 MARTINE – Tu m'as trop maltraitée.

SGANARELLE – Eh bien va, je te demande pardon; mets là ta main.

MARTINE – Je te pardonne; *(elle dit le reste bas)* mais tu le payeras.

SGANARELLE – Tu es une folle de prendre garde à cela; ce sont
65 petites choses qui sont de temps en temps nécessaires dans l'amitié; et cinq ou six coups de bâton, entre gens qui s'aiment, ne font que ragaillardir l'affection[2]. Va, je m'en vais au bois, et je te promets aujourd'hui plus d'un cent de fagots.

Notes

1. bagatelle : chose de peu d'importance, détail.

2. ragaillardir l'affection : faire renaître l'affection.

Au fil du texte

Questions sur l'acte I, scène 2 (pages 19 à 21)

Avez-vous bien lu ?

1. Quel est le nouveau personnage qui intervient dans cette scène ?
2. Que veut-il ?
3. Que lui reproche Martine ?
4. Comment est-il récompensé ?
5. Remplacez la première réplique de Martine par celle que vous attendiez.

Monsieur Robert

6. Relevez les mots qui montrent que Monsieur Robert bat rapidement en retraite.
7. Quels types de phrases utilise Martine pour intimider Monsieur Robert ?

Un genre : la farce

8. Quel est le personnage désigné par *« le coquin »* ?
9. Donnez un exemple de comique de mots et de comique de gestes.
10. En quoi la situation est-elle comique ?
11. Relisez les didascalies*. Pourquoi sont-elles importantes dans cette scène ?

*** *didascalies :* indications de mise en scène données par l'auteur.**

Conflit ou réconciliation

12. Comment Sganarelle s'y prend-il pour convaincre Martine de se réconcilier avec lui ? Prenez des exemples dans le texte pour justifier votre réponse.

Le vocabulaire du théâtre

Les **répliques** sont les paroles d'un personnage; le **dialogue** est un échange de répliques.

13. Quelle phrase de Martine, précédée d'une didascalie, nous montre qu'il s'agit d'une fausse réconciliation ?

14. La scène peut se découper en deux parties. Indiquez-les. Justifiez votre réponse.

15. Rétablissez correctement le proverbe cité par Sganarelle de manière fantaisiste, lignes 42 et 43.

Mise en scène

16. Essayez de jouer cette scène en tenant compte de toutes les didascalies et particulièrement de celles qui suggèrent les déplacements des personnages.

SCÈNE 3

1 MARTINE, *seule*. – Va, quelque mine que je fasse[1], je n'oublie pas mon ressentiment[2]; et je brûle en moi-même de trouver les moyens de te punir des coups que tu me donnes. Je sais bien qu'une femme a toujours dans les mains de quoi se
5 venger d'un mari; mais c'est une punition trop délicate pour mon pendard : je veux une vengeance qui se fasse un peu mieux sentir; et ce n'est pas contentement pour l'injure que j'ai reçue.

Notes

1. **quelque mine que je fasse :** bien que je fasse bonne mine.

2. **ressentiment :** rancune.

Au fil du texte

Questions sur l'acte I, scène 3 (page 24)

Avez-vous bien lu ?

1. Quels sont les sentiments de Martine ?

2. Que veut-elle faire ?

La vengeance

3. Relevez le champ lexical* de la vengeance.

4. Comment appelle-t-on le discours d'un personnage seul sur scène qui se parle à lui-même ?

5. Quelle phrase très importante pour la suite de la pièce fait de ce monologue une scène clé ?

*** *champ lexical* : regroupement de mots appartenant à la même idée, à la même notion.**

À vos plumes !

6. Réécrivez la tirade* de Martine avec vos propres mots.

*** *tirade* : longue réplique.**

Mise en scène

7. Vous vous préparez à passer un concours d'interprétation pour cette scène.
Apprenez le monologue par cœur et entraînez-vous à le jouer en vous concentrant sur le ton et les gestes à adopter pour que transparaisse toute la menace que laisse planer ce discours vengeur.

SCÈNE 4

VALÈRE, LUCAS, MARTINE

1 LUCAS – Parguenne[1] ! j'avons pris là tous deux une guèble[2] de commission ; et je ne sais pas, moi, ce que je pensons attraper[3].

VALÈRE – Que veux-tu, mon pauvre nourricier[4] ? il faut bien obéir à notre maître ; et puis nous avons intérêt, l'un et l'autre,
5 à la santé de sa fille, notre maîtresse ; et sans doute son mariage, différé[5] par sa maladie, nous vaudrait quelque récompense. Horace, qui est libéral[6], a bonne part aux prétentions[7] qu'on peut avoir sur sa personne ; et quoiqu'elle ait fait voir de l'amitié[8] pour un certain Léandre, tu sais bien que son père n'a
10 jamais voulu consentir à le recevoir pour son gendre.

MARTINE, *rêvant à part elle.* – Ne puis-je point trouver quelque invention pour me venger ?

LUCAS – Mais quelle fantaisie s'est-il boutée[9] là dans la tête, puisque les médecins y avont tous pardu[10] leur latin ?

15 VALÈRE – On trouve quelquefois, à force de chercher, ce qu'on ne trouve pas d'abord[11] ; et souvent, en de simples lieux[12]...

MARTINE – Oui, il faut que je m'en venge à quelque prix que ce soit : ces coups de bâton me reviennent au cœur, je ne les saurais digérer, et... *(Elle dit tout ceci en rêvant, de sorte que ne*
20 *prenant pas garde à ces deux hommes, elle les heurte en se retournant, et leur dit :)* Ah ! Messieurs, je vous demande pardon ; je ne

Notes

1. **parguenne** : parbleu en patois (je te le jure par Dieu).
2. **guèble** : diable (en patois).
3. **attraper** : espérer.
4. **nourricier** : mari de la nourrice (Jacqueline).
5. **différé** : retardé, remis à plus tard.
6. **libéral** : généreux.
7. **a bonne part aux prétentions** : est bien placé sur la liste des prétendants de Lucinde.
8. **de l'amitié** : du sentiment, de l'amour.
9. **boutée** : mise.
10. **pardu** : perdu (en patois : *e* devient *a*).
11. **d'abord** : immédiatement, du premier coup.
12. **de simples lieux** : des lieux fréquentés par les gens simples.

vous voyais pas, et cherchais dans ma tête quelque chose qui m'embarrasse.

VALÈRE – Chacun a ses soins[1] dans le monde, et nous cherchons aussi ce que nous voudrions bien trouver.

MARTINE – Serait-ce quelque chose où je vous puisse aider?

VALÈRE – Cela se pourrait faire; et nous tâchons de rencontrer quelque habile homme, quelque médecin particulier, qui pût[2] donner quelque soulagement à la fille de notre maître, attaquée d'une maladie qui lui a ôté tout d'un coup l'usage de la langue. Plusieurs médecins ont déjà épuisé toute leur science après elle : mais on trouve parfois des gens avec des secrets admirables, de certains remèdes particuliers, qui font le plus souvent ce que les autres n'ont su faire; et c'est là ce que nous cherchons.

MARTINE *(Elle dit ces premières lignes bas.)* – Ah! que le Ciel m'inspire une admirable invention pour me venger de mon pendard[3]! *(Haut.)* Vous ne pouviez jamais vous mieux adresser pour rencontrer ce que vous cherchez; et nous avons ici un homme, le plus merveilleux homme du monde, pour les maladies désespérées.

VALÈRE – Et de grâce, où pouvons-nous le rencontrer?

MARTINE – Vous le trouverez maintenant vers ce petit lieu que voilà, qui s'amuse à couper du bois.

LUCAS – Un médecin qui coupe du bois!

VALÈRE – Qui s'amuse à cueillir des simples[4], voulez-vous dire?

MARTINE – Non : c'est un homme extraordinaire qui se plaît à cela, fantasque, bizarre, quinteux[5], et que vous ne prendriez jamais pour ce qu'il est. Il va vêtu d'une façon extravagante,

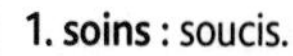

Notes

1. **soins** : soucis.
2. **pût** : verbe *pouvoir* à l'imparfait du subjonctif (donc présence de l'accent circonflexe sur le *u*).
3. **pendard** : homme qui mérite la pendaison.
4. **des simples** : des plantes médicinales.
5. **quinteux** : qui a des quintes de toux. Ici : capricieux, qui a des lubies.

50 affecte quelquefois de paraître ignorant, tient sa science renfermée, et ne fuit rien tant[1] tous les jours que d'exercer les merveilleux talents qu'il a eus du Ciel pour la médecine.

VALÈRE – C'est une chose admirable, que tous les grands hommes ont toujours du caprice, quelque petit grain de folie
55 mêlé à leur science.

MARTINE – La folie de celui-ci est plus grande qu'on ne peut croire, car elle va parfois jusqu'à vouloir être battu pour demeurer d'accord de sa capacité[2]; et je vous donne avis que vous n'en viendrez point à bout, qu'il n'avouera jamais qu'il
60 est médecin, s'il se le met en fantaisie[3], que vous ne preniez chacun[4] un bâton, et ne le réduisiez, à force de coups, à vous confesser à la fin ce qu'il vous cachera d'abord. C'est ainsi que nous en usons quand nous avons besoin de lui.

VALÈRE – Voilà une étrange folie!

65 MARTINE – Il est vrai; mais, après cela, vous verrez qu'il fait des merveilles.

VALÈRE – Comment s'appelle-t-il?

MARTINE – Il s'appelle Sganarelle; mais il est aisé à connaître : c'est un homme qui a une large barbe[5] noire, et qui porte une
70 fraise[6], avec un habit jaune et vert.

LUCAS – Un habit jaune et vart! C'est donc le médecin des paroquets[7]?

VALÈRE – Mais est-il bien vrai qu'il soit si habile que vous le dites?

Notes

1. **ne fuit rien tant** : fuit surtout.
2. **demeurer d'accord de sa capacité** : reconnaître ce qu'il sait faire, c'est-à-dire ses talents de médecin.
3. **s'il se le met en fantaisie** : si la fantaisie – le caprice – le prend de se le mettre en tête.
4. **que vous ne preniez chacun** : à moins que vous ne preniez chacun.
5. **barbe** : désignait aussi les moustaches.
6. **fraise** : collerette plissée.
7. **paroquets** : perroquets (en patois : *e* devient *a*).

75 MARTINE – Comment? C'est un homme qui fait des miracles. Il y a six mois qu'une femme fut abandonnée de tous les autres médecins : on la tenait morte[1] il y avait déjà six heures, et l'on se disposait à l'ensevelir, lorsqu'on y fit venir de force l'homme dont nous parlons. Il lui mit, l'ayant vue, une petite 80 goutte de je ne sais quoi dans la bouche, et, dans le même instant, elle se leva de son lit et se mit aussitôt à se promener dans sa chambre, comme si de rien n'eût été.

LUCAS – Ah!

VALÈRE – Il fallait que ce fût quelque goutte d'or potable[2].

85 MARTINE – Cela pourrait bien être. Il n'y a pas trois semaines encore qu'un jeune enfant de douze ans tomba du haut du clocher en bas, et se brisa, sur le pavé, la tête, les bras et les jambes. On n'y eut pas plus tôt amené notre homme, qu'il le frotta par tout le corps d'un certain onguent[3] qu'il sait faire; 90 et l'enfant aussitôt se leva sur ses pieds et courut jouer à la fossette[4].

LUCAS – Ah!

VALÈRE – Il faut que cet homme-là ait la médecine universelle[5].

MARTINE – Qui en doute?

95 LUCAS – Testigué[6]! velà[7] justement l'homme qu'il nous faut. Allons vite le charcher[8].

VALÈRE – Nous vous remercions du plaisir que vous nous faites.

MARTINE – Mais souvenez-vous bien au moins de l'avertissement que je vous ai donné.

Notes

1. **on la tenait morte** : on la tenait pour morte, on pensait qu'elle était morte.
2. **or potable** : potion à base de chlorure d'or très recherchée à l'époque de Molière pour ses effets « miraculeux » (potable : qui peut être bu).
3. **onguent** : pommade.
4. **fossette** : jeu qui consistait à lancer des billes dans un trou (une petite fosse).
5. **la médecine universelle** : qui soigne toutes les maladies.
6. **Testigué** : tête bleue (en patois : je le jure par la tête de Dieu).
7. **velà** : voilà.
8. **charcher** : chercher.

100 LUCAS – Eh, morguenne[1]! laissez-nous faire : s'il ne tient qu'à battre, la vache est à nous[2].

VALÈRE – Nous sommes bien heureux d'avoir fait cette rencontre ; et j'en conçois, pour moi, la meilleure espérance du monde.

Notes

1. **morguenne** : morbleu (en patois : je le jure par la mort de Dieu).

2. **la vache est à nous** : l'affaire est faite.

Au fil du texte

Questions sur l'acte I, scène 4 (pages 26 à 30)

Avez-vous bien lu ?

1. Quels sont les nouveaux personnages qui entrent en scène ?
2. Décrivez-les en quelques phrases.
3. Que nous apprennent-ils sur leur maître et sur sa fille ?
4. Quelles répliques de Martine nous ramènent à son projet de vengeance ?
5. Recopiez la phrase qui montre qu'elle a trouvé sa vengeance.
6. Quelle est cette vengeance ?
7. Quels arguments donne-t-elle à Valère et à Lucas pour les convaincre de la compétence de Sganarelle ?
8. Comment Valère et Lucas pourront-ils reconnaître Sganarelle ?

« Un homme qui fait des miracles »

9. Quand Martine dit de Sganarelle : *« C'est un homme qui fait des miracles ! »*, le mot *« miracle »* est à prendre au sens propre. Pourquoi ?
10. Si vos parents disent que leur nouvelle lessive « fait des miracles », qu'entendent-ils par là ?
11. Dans quel sens est alors employé ce mot ?

LE LANGAGE DE LUCAS

Les types de langage

– Les **niveaux de langue** : familier, courant, soutenu.
– Le **patois** : langage particulier à une région.
– **Franglais** : français dans lequel apparaissent de nombreux termes anglais.
– **Vocabulaire archaïque** : mots vieillis qu'on n'utilise plus.

12 Comment s'exprime Lucas ?

a) En franglais.

b) En patois.

c) En langage soutenu.

13 Notez, dans le tableau suivant, des exemples des fautes de langue faites par Lucas ou du langage familier qu'il emploie.

prononciation	
grammaire	
vocabulaire archaïque	
jurons	

ÉTUDIER UN THÈME : LA MÉDECINE

14 Quelle idée vous faites-vous de la médecine et des médecins de l'époque à travers le portrait que Martine fait du « médecin » Sganarelle ?

15 Quel est le but de Molière dans cette scène ?

a) Honorer les médecins de son temps.

b) Se moquer des médecins de son temps.

c) Décrire les pratiques médicales de l'époque.

La place et la fonction de la scène

16. En vous aidant de la didascalie* qui la précède, dites à qui s'adresse la réplique de Martine : « *Ne puis-je point trouver quelque invention pour me venger ?* » (lignes 11-12)

*** *didascalie* : indication donnée par l'auteur de la pièce et destinée au metteur en scène et aux comédiens.**

17. Pourriez-vous supprimer cette scène de la pièce ? Pourquoi ?

18. En quoi cette scène est-elle comique ?

19. Pourquoi le spectateur se réjouit-il à l'avance ? Justifiez votre réponse par une réplique du texte.

À vos plumes !

20. Relisez les questions 9, 10 et 11.
Employez maintenant le mot « miracle » dans deux phrases : dans la première il sera au sens propre, dans la seconde il sera au sens figuré.

21. Cherchez le mot « satire » dans un dictionnaire et employez-le dans une phrase.

Mise en scène

22. Comment placeriez-vous les personnages au début de la scène ?

23. Quelle réplique de Martine montre qu'elle ne s'aperçoit pas immédiatement de la présence de Valère et de Lucas.

24. Entraînez-vous à jouer le court passage des lignes 17 à 23 en respectant bien la didascalie.

SCÈNE 5

SGANARELLE, VALÈRE, LUCAS

1 SGANARELLE *entre sur le théâtre en chantant et tenant une bouteille.* – La, la, la.

VALÈRE – J'entends quelqu'un qui chante, et qui coupe du bois.

SGANARELLE – La, la, la... Ma foi, c'est assez travaillé pour boire
5 un coup. Prenons un peu d'haleine *(Il boit, et dit après avoir bu :)* Voilà du bois qui est salé comme tous les diables[1].

Qu'ils sont doux,
Bouteille jolie,
Qu'ils sont doux,
10 Vos petits glouglous!
Mais mon sort ferait bien des jaloux,
Si vous étiez toujours remplie.
Ah! bouteille, ma mie,
Pourquoi vous videz-vous?

15 Allons, morbleu! il ne faut point engendrer de mélancolie.

VALÈRE – Le voilà lui-même.

LUCAS – Je pense que vous dites vrai, et que j'avons bouté[2] le nez dessus.

VALÈRE – Voyons de près.

20 SGANARELLE, *les apercevant, les regarde, en se tournant vers l'un et puis vers l'autre, et abaissant la voix, dit :* – Ah! ma petite friponne! que je t'aime, mon petit bouchon[3]!

... Mon sort... ferait... bien des... jaloux,
Si...

25 Que diable! à qui en veulent ces gens-là?

Notes

1. **du bois qui est salé comme tous les diables :** du bois qui donne soif au travailleur qui l'a coupé.
2. **j'avons bouté :** nous avons mis.
3. **mon petit bouchon :** terme d'affection qui peut s'adresser à une fillette (une « fillette » est aussi une demi-bouteille dans certaines régions).

VALÈRE – C'est lui assurément.

LUCAS – Le velà tout craché comme on nous l'a défiguré[1].

SGANARELLE, *à part.*

(Ici il pose sa bouteille à terre, et Valère se baissant pour le saluer,
30 *comme il croit que c'est à dessein de*[2] *la prendre, il la met de l'autre côté ; ensuite de quoi, Lucas faisant la même chose, il la reprend et la tient contre son estomac, avec divers gestes qui font un grand jeu de théâtre.)*

– Ils consultent[3] en me regardant. Quel dessein auraient-ils ?

35 VALÈRE – Monsieur, n'est-ce pas vous qui vous appelez Sganarelle ?

SGANARELLE – Eh ! quoi ?

VALÈRE – Je vous demande si ce n'est pas vous qui se nomme[4] Sganarelle.

40 SGANARELLE, *se tournant vers Valère, puis vers Lucas.* – Oui et non, selon ce que vous lui voulez.

VALÈRE – Nous ne voulons que lui faire toutes les civilités[5] que nous pourrons.

SGANARELLE – En ce cas, c'est moi qui se nomme Sganarelle.

45 VALÈRE – Monsieur, nous sommes ravis de vous voir. On nous a adressés à vous pour ce que nous cherchons ; et nous venons implorer votre aide, dont nous avons besoin.

SGANARELLE – Si c'est quelque chose, Messieurs, qui dépende de mon petit négoce[6], je suis tout prêt à vous rendre service.

Notes

1. **défiguré :** dépeint, décrit.
2. **à dessein de :** dans le but de.
3. **Ils consultent :** ils se consultent, se concertent.
4. **vous qui se nomme :** (tournure incorrecte aujourd'hui) vous qui vous nommez.
5. **les civilités :** les politesses.
6. **négoce :** commerce.

50 VALÈRE – Monsieur, c'est trop de grâce que vous nous faites. Mais, Monsieur, couvrez-vous[1], s'il vous plaît ; le soleil pourrait vous incommoder.

LUCAS – Monsieur, boutez dessus[2].

SGANARELLE, *bas.* – Voici des gens bien pleins de cérémonie[3].

55 VALÈRE – Monsieur, il ne faut pas trouver étrange que nous venions à vous : les habiles gens sont toujours recherchés, et nous sommes instruits de votre capacité.

SGANARELLE – Il est vrai, Messieurs, que je suis le premier homme du monde pour faire des fagots.

60 VALÈRE – Ah ! Monsieur...

SGANARELLE – Je n'y épargne aucune chose, et les fais d'une façon qu'il n'y a rien à dire[4].

VALÈRE – Monsieur, ce n'est pas cela dont il est question.

SGANARELLE – Mais aussi je les vends cent dix sols[5] le cent.

65 VALÈRE – Ne parlons point de cela, s'il vous plaît.

SGANARELLE – Je vous promets que je ne saurais les donner à moins.

VALÈRE – Monsieur, nous savons les choses.

SGANARELLE – Si vous savez les choses, vous savez que je les
70 vends cela.

VALÈRE – Monsieur, c'est se moquer que...

SGANARELLE – Je ne me moque point, je n'en puis rien rabattre[6].

1. **couvrez-vous :** mettez votre chapeau (sur votre tête : un chapeau = un couvre-chef, pour couvrir la tête).
2. **boutez dessus :** mettez votre chapeau sur votre tête.
3. **des gens bien pleins de cérémonie :** des gens bien solennels, exagérément polis.
4. **d'une façon qu'il n'y a rien à dire :** (tournure incorrecte) d'une façon à laquelle il n'y a rien à redire.
5. **sol :** sou, ancienne monnaie (vingtième partie de la livre : 12 deniers).
6. **je n'en puis rien rabattre :** c'est mon dernier prix, je ne peux pas le baisser.

VALÈRE – Parlons d'autre façon, de grâce.

SGANARELLE – Vous en pourrez trouver autre part à moins : il y
75 a fagots et fagots : mais pour ceux que je fais…

VALÈRE – Eh! Monsieur, laissons là ce discours[1].

SGANARELLE – Je vous jure que vous ne les auriez pas, s'il s'en fallait un double[2].

VALÈRE – Eh! fi!

80 SGANARELLE – Non, en conscience, vous en payerez cela. Je vous parle sincèrement, et ne suis pas homme à surfaire[3].

VALÈRE – Faut-il, Monsieur, qu'une personne comme vous s'amuse à ces grossières feintes[4]? s'abaisse à parler de la sorte? qu'un homme si savant, un fameux médecin, comme vous
85 êtes, veuille se déguiser aux yeux du monde, et tenir enterrés les beaux talents qu'il a?

SGANARELLE, *à part.* – Il est fou.

VALÈRE – De grâce, Monsieur, ne dissimulez point avec nous.

SGANARELLE – Comment?

90 LUCAS – Tout ce tripotage ne sart de rian[5]; je savons ce que je savons.

SGANARELLE – Quoi donc? que me voulez-vous dire? Pour qui me prenez-vous?

VALÈRE – Pour ce que vous êtes, pour un grand médecin.

95 SGANARELLE – Médecin vous-même : je ne le suis point, et ne l'ai jamais été.

Notes

1. **laissons là ce discours** : changeons de sujet.
2. **s'il s'en fallait un double** : même s'il ne manquait qu'un double (une pièce de deux deniers, soit le sixième d'un sou) pour faire mon prix.
3. **homme à surfaire** : homme à vouloir trop cher sa marchandise (la surcoter, lui attribuer un prix supérieur à sa valeur réelle).
4. **feintes** : ruses.
5. **tout ce tripotage ne sart de rian** : toutes vos ruses ne servent à rien.

VALÈRE, *bas*. – Voilà sa folie qui le tient. *(Haut.)* Monsieur, ne veuillez point nier les choses davantage ; et n'en venons point, s'il vous plaît, à de fâcheuses extrémités.

100 SGANARELLE – à quoi donc ?

VALÈRE – à de certaines choses dont nous serions marris[1].

SGANARELLE – Parbleu ! venez-en à tout ce qu'il vous plaira : je ne suis point médecin, et ne sais pas ce que vous me voulez dire.

105 VALÈRE, *bas*. – Je vois bien qu'il faut se servir du remède. *(Haut.)* Monsieur, encore un coup, je vous prie d'avouer ce que vous êtes.

LUCAS – Et testigué ! ne lantiponez point davantage[2], et confessez à la franquette[3] que v's êtes médecin.

110 SGANARELLE – J'enrage.

VALÈRE – à quoi bon nier ce qu'on sait ?

LUCAS – Pourquoi toutes ces fraimes[4]-là ? et à quoi est-ce que ça vous sart[5] ?

SGANARELLE – Messieurs, en un mot autant qu'en deux mille,
115 je vous dis que je ne suis point médecin.

VALÈRE – Vous n'êtes point médecin ?

SGANARELLE – Non.

LUCAS – V'n'êtes pas médecin ?

SGANARELLE – Non, vous dis-je.

120 VALÈRE – Puisque vous le voulez, il faut s'y résoudre. *(Ils prennent un bâton et le frappent.)*

SGANARELLE – Ah ! ah ! ah ! Messieurs, je suis tout ce qu'il vous plaira.

Notes

1. marris : fâchés, désolés.

2. ne lantiponez point davantage : ne perdez pas davantage de temps, ne lanternez pas.

3. confessez à la franquette : avouez simplement.

4. fraimes : frimes, manières, grimaces.

5. sart : sert.

VALÈRE – Pourquoi, Monsieur, nous obligez-vous à cette vio-
125 lence ?

LUCAS – à quoi bon nous bailler[1] la peine de vous battre ?

VALÈRE – Je vous assure que j'en ai tous les regrets du monde.

LUCAS – Par ma figué[2] ! j'en sis[3] fâché, franchement.

SGANARELLE – Que diable est ceci, Messieurs ? De grâce, est-ce
130 pour rire, ou si tous deux vous extravaguez[4], de vouloir que je sois médecin ?

VALÈRE – Quoi ? vous ne vous rendez pas encore, et vous vous défendez d'être médecin ?

SGANARELLE – Diable emporte si je le suis[5] !

135 LUCAS – Il n'est pas vrai qu'ous sayez[6] médecin ?

SGANARELLE – Non, la peste m'étouffe ! *(Là ils recommencent de le battre.)* Ah ! Ah ! Eh bien, Messieurs, oui, puisque vous le voulez, je suis médecin, je suis médecin ; apothicaire[7] encore, si vous le trouvez bon. J'aime mieux consentir à tout que de
140 me faire assommer.

VALÈRE – Ah ! voilà qui va bien, Monsieur : je suis ravi de vous voir raisonnable.

LUCAS – Vous me boutez la joie au cœur, quand je vous vois parler comme ça.

145 VALÈRE – Je vous demande pardon de toute mon âme.

LUCAS – Je vous demandons excuse de la libarté que j'avons prise[8].

Notes

1. **bailler** : donner.
2. **Par ma figué** : par ma figure.
3. **j'en sis fâché** : j'en suis fâché.
4. **vous extravaguez** : vous délirez, vous êtes fou.
5. **Diable emporte si je le suis** : le diable m'emporte si je le suis (médecin).
6. **qu'ous sayez** : que vous soyez.
7. **apothicaire** : pharmacien, préparateur des remèdes et infirmier.
8. **je vous demandons excuse de la libarté que j'avons prise** : je vous demande pardon de la liberté que j'ai prise.

SGANARELLE, *à part.* – Ouais! serait-ce bien moi qui me tromperais, et serais-je devenu médecin sans m'en être aperçu?

150 VALÈRE – Monsieur, vous ne vous repentirez pas de nous montrer ce que vous êtes; et vous verrez assurément que vous en serez satisfait.

SGANARELLE – Mais, Messieurs, dites-moi, ne vous trompez-vous point vous-mêmes? Est-il bien assuré que je sois 155 médecin?

LUCAS – Oui, par ma figué!

SGANARELLE – Tout de bon?

VALÈRE – Sans doute.

SGANARELLE – Diable emporte si je le savais!

160 VALÈRE – Comment? vous êtes le plus habile médecin du monde.

SGANARELLE – Ah! ah!

LUCAS – Un médecin qui a guari[1] je ne sais combien de maladies.

165 SGANARELLE – Tudieu[2]!

VALÈRE – Une femme était tenue pour morte il y avait six heures; elle était prête à ensevelir[3], lorsque, avec une goutte de quelque chose, vous la fîtes revenir et marcher d'abord[4] par la chambre.

170 SGANARELLE – Peste!

LUCAS – Un petit enfant de douze ans se laissit choir[5] du haut d'un clocher, de quoi il eut la tête, les jambes et les bras cassés;

Notes

1. **guari** : guéri.
2. **Tudieu** : par Dieu (que je tue Dieu si ce n'est pas vrai).
3. **elle était prête à ensevelir** : elle était prête à être ensevelie, on allait l'enterrer.
4. **d'abord** : immédiatement.
5. **se laissit choir** : se laissa tomber.

et vous, avec je ne sais quel onguent[1], vous fîtes qu'aussitôt il se relevit sur ses pieds, et s'en fut jouer à la fossette.

175 SGANARELLE – Diantre !

VALÈRE – Enfin, Monsieur, vous aurez contentement avec nous ; et vous gagnerez ce que vous voudrez, en vous laissant conduire où nous prétendons vous mener.

SGANARELLE – Je gagnerai ce que je voudrai ?

180 VALÈRE – Oui.

SGANARELLE – Ah ! je suis médecin, sans contredit[2] : je l'avais oublié ; mais je m'en ressouviens. De quoi est-il question ? Où faut-il se transporter ?

VALÈRE – Nous vous conduirons. Il est question d'aller voir une
185 fille qui a perdu la parole.

SGANARELLE – Ma foi ! je ne l'ai pas trouvée.

VALÈRE – Il aime à rire. Allons, Monsieur.

SGANARELLE – Sans une robe de médecin ?

VALÈRE – Nous en prendrons une.

190 SGANARELLE, *présentant sa bouteille à Valère.* – Tenez cela, vous : voilà où je mets mes juleps[3].

Puis se tournant vers Lucas en crachant.

Vous, marchez là-dessus, par ordonnance du médecin.

LUCAS – Palsanguenne[4] ! velà un médecin qui me plaît ; je pense
195 qu'il réussira, car il est bouffon[5].

Notes

1. **onguent** : pommade.
2. **sans contredit** : sans aucun doute, sans plus vous contredire.
3. **juleps** : remèdes, potions, élixirs.
4. **palsanguenne** : palsambleu (juron en patois), déformation de *je le jure par le sang de Dieu*.
5. **bouffon** : drôle, amusant, plaisant.

Au fil du texte

Questions sur l'acte I, scène 5 (pages 34 à 41)

Avez-vous bien lu ?

1. Où se passe la scène ?

2. Les choses se déroulent-elles comme Martine les avait prévues ? Justifiez votre réponse.

3. En quoi Sganarelle est-il ici le même que le Sganarelle de la scène 1, acte I ?

4. Quel argument le convainc finalement d'accepter d'être médecin ?

5. Quel nouveau défaut de Sganarelle découvre-t-on dans cette scène ?

Un genre : la farce

6. *« Le velà tout craché comme on nous l'a défiguré »* dit Lucas. Quels personnages sont représentés par les pronoms « *le* » et « *on* » ?

7. Molière utilise dans cette scène différents procédés qui sont ceux de la farce. Indiquez les passages du texte qui correspondent aux procédés suivants :

a) jeux de scène et chansonnette avec la bouteille :

lignes .... à ....

b) quiproquo* : lignes .... à ....

c) coups de bâton : lignes .... à ....

d) jeux de mots : lignes .... à ....

*** *quiproquo* : malentendu qui fait que deux personnes parlent de choses différentes en croyant parler de la même.**

Les procédés comiques

8) Quel est le quiproquo qui s'installe entre les personnages ?

Les procédés comiques

– **Comique de mots** : accent des personnages, répétitions, jeux de mots...
– **Comique de gestes** : mouvements, jeux de scène, mimiques des comédiens.
– **Comique de caractère** : comportement d'un personnage qui ridiculise son caractère.
– **Comique de situation** : ce qui arrive aux personnages.
– **Quiproquo** : malentendu.

9) Tous les procédés comiques sont représentés dans cette scène. Illustrez chacun d'eux par un ou deux exemples pris dans le texte :

a) comique de mots : ....

b) comique de gestes : ....

c) comique de caractère : ....

d) comique de situation : ....

La place et la fonction de la scène

10) En quoi cette scène justifie-t-elle le titre de la pièce ?

À vos plumes !

11) Inventez une situation dans laquelle vous ferez naître un quiproquo.

a) Résumez la situation au brouillon en deux ou trois phrases.

b) Écrivez un dialogue dans lequel vous développerez puis résoudrez le quiproquo (aidez-vous de la question 8).

Lire l'image

⓬ Décrivez le costume du médecin dans le document ci-dessous.

⓭ De quel élément du costume est-il question dans la scène ? À quel moment ?

Jean-Jacques Pivert (Sganarelle), Compagnie Ecla Théâtre, mise en scène de Didier Lafaye (1999).

Acte II

SCÈNE 1

GÉRONTE, VALÈRE, LUCAS, JACQUELINE

VALÈRE – Oui, Monsieur, je crois que vous serez satisfait; et nous vous avons amené le plus grand médecin du monde.

LUCAS – Oh! morguenne[1]! il faut tirer l'échelle après ceti-là[2], et tous les autres ne sont pas daignes de li déchausser ses souillez[3].

VALÈRE – C'est un homme qui a fait des cures merveilleuses.

LUCAS – Qui a guari des gens qui êtiant morts[4].

VALÈRE – Il est un peu capricieux, comme je vous ai dit; et parfois il a des moments où son esprit s'échappe et ne paraît pas ce qu'il est.

LUCAS – Oui, il aime à bouffonner[5]; et l'an dirait parfois, ne v's en déplaise, qu'il a quelque petit coup de hache à la tête[6].

Notes

1. **morguenne** : par la mort de Dieu.
2. **il faut tirer l'échelle après ceti-là** : il faut arrêter notre recherche. On ne trouvera pas mieux que celui-ci.
3. **daignes de li déchausser ses souillez** : dignes de lui déchausser les souliers (de le servir).
4. **guari des gens qui êtiant morts** : guéri des morts.
5. **bouffonner** : faire le fou.
6. **il a quelque petit coup de hache à la tête** : expression comique, surtout employée à propos d'un bûcheron (il est un peu fou).

VALÈRE – Mais, dans le fond, il est toute science, et bien souvent il dit des choses tout à fait relevées[1].

15 LUCAS – Quand il s'y boute, il parle tout fin drait comme[2] s'il lisait dans un livre.

VALÈRE – Sa réputation s'est déjà répandue ici, et tout le monde vient à lui.

GÉRONTE – Je meurs d'envie de le voir ; faites-le-moi vite venir.

20 VALÈRE – Je vais le quérir[3].

JACQUELINE – Par ma fi[4] ! Monsieu, ceti-ci fera justement ce qu'ant fait les autres. Je pense que ce sera queussi queumi[5] ; et la meilleure médeçaine que l'an pourrait bailler à votre fille, ce serait, selon moi, un biau et bon mari, pour qui elle eût de 25 l'amiquié[6].

GÉRONTE – Ouais ! Nourrice, ma mie, vous vous mêlez de bien des choses.

LUCAS – Taisez-vous, notre ménagère[7] Jaquelaine : ce n'est pas à vous à bouter là votre nez.

30 JACQUELINE – Je vous dis et vous douze[8] que tous ces médecins n'y feront rian que de l'iau claire[9] ; que votre fille a besoin d'autre chose que de ribarbe[10] et de séné, et qu'un mari est un emplâtre[11] qui guarit tous les maux des filles.

Notes

1. tout à fait relevées : tout à fait intéressantes, intelligentes, d'un haut niveau intellectuel.
2. tout fin drait comme : tout droit, tout à fait comme.
3. quérir : chercher.
4. Par ma fi : par ma foi.
5. queussi queumi : exactement la même chose.
6. amiquié : amitié.
7. ménagère : femme qui tient notre ménage.
8. Je vous dis et vous douze : jeu de mots populaire sur *dis* (prononcer le *s* final), le nombre – dix – et le verbe – dire –, et douze.
9. rian que de l'iau claire : pas plus que de l'eau claire.
10. ribarbe : rhubarbe, séné et casse étaient des plantes médicinales purgatives très utilisées au XVIIe siècle.
11. emplâtre : sorte de pâte qu'on applique sur la peau.

GÉRONTE – Est-elle en l'état maintenant qu'on s'en voulût
35 charger[1], avec l'infirmité qu'elle a ? Et lorsque j'ai été dans le dessein[2] de la marier, ne s'est-elle pas opposée à mes volontés ?

JACQUELINE – Je le crois bian[3] : vous li vouilliez bailler cun homme qu'alle[4] n'aime point. Que ne preniez-vous ce Monsieu Liandre, qui li touchait au cœur ? Alle aurait été fort
40 obéissante ; et je m'en vas gager[5] qu'il la prendrait, li, comme alle est, si vous la li vouilliez donner[6].

GÉRONTE – Ce Léandre n'est pas ce qu'il lui faut : il n'a pas du bien comme l'autre.

JACQUELINE – Il a un oncle qui est si riche, dont il est hériquié[7].

45 GÉRONTE – Tous ces biens à venir me semblent autant de chansons[8]. Il n'est rien tel que ce qu'on tient ; et l'on court grand risque de s'abuser[9], lorsque l'on compte sur le bien qu'un autre vous garde. La mort n'a pas toujours les oreilles ouvertes aux vœux et aux prières de Messieurs les héritiers ; et l'on a le
50 temps d'avoir les dents longues[10], lorsqu'on attend, pour vivre, le trépas[11] de quelqu'un.

JACQUELINE – Enfin j'ai toujours ouï[12] dire qu'en mariage, comme ailleurs, contentement passe richesse[13]. Les bères[14] et les mères ant cette maudite couteume[15] de demander tou-

Notes

1. **qu'on s'en voulût charger** : que quelqu'un veuille bien d'elle (pour l'épouser).
2. **dessein** : intention.
3. **bian** : bien.
4. **alle** : elle.
5. **et je m'en vas gager** : et je suis prête à parier.
6. **si vous la li vouilliez donner** : si vous vouliez la lui donner.
7. **hériquié** : héritier.
8. **chansons** : propos « en l'air », auxquels on ne peut pas se fier.
9. **s'abuser** : se tromper.
10. **d'avoir les dents longues** : d'avoir faim (les dents ne s'usent pas si on ne mange pas).
11. **le trépas** : la mort.
12. **ouï** : entendu.
13. **contentement passe richesse** : le bonheur est plus important que les richesses.
14. **les bères** : les pères.
15. **couteume** : coutume.

55 jours : « Qu'a-t-il ? » et : « Qu'a-t-elle ? » et le compère Biarre a marié sa fille Simonette au gros Thomas pour un quarquié de vaigne[1] qu'il avait davantage que le jeune Robin, où alle avait bouté son amiquié[2] ; et velà[3] que la pauvre créiature[4] en est devenue jaune comme un coing[5], et n'a point profité tout[6]
60 depuis ce temps-là. C'est un bel exemple pour vous, Monsieu. On n'a que son plaisir en ce monde ; et j'aimerais mieux bailler à ma fille un bon mari qui li fût agriable[7], que toutes les rentes de la Biauce[8].

GÉRONTE – Peste ! Madame la Nourrice, comme vous dégoi-
65 sez[9] ! Taisez-vous, je vous prie : vous prenez trop de soin[10], et vous échauffez votre lait.

LUCAS *(En disant ceci, il frappe sur la poitrine à Géronte.)* – Morgué ! tais-toi, t'es cune impartinante[11]. Monsieu n'a que faire de tes discours, et il sait ce qu'il a à faire. Mêle-toi de donner à téter
70 à ton enfant, sans tant faire la raisonneuse. Monsieu est le père de sa fille, et il est bon et sage pour voir ce qu'il li faut.

GÉRONTE – Tout doux ! oh ! tout doux !

LUCAS – Monsieu, je veux un peu la mortifier[12], et li apprendre le respect qu'alle vous doit.

75 GÉRONTE – Oui ; mais ces gestes ne sont pas nécessaires.

Notes

1. **un quarquié de vaigne** : un quartier de vigne (le quart d'un arpent de vigne, à peu près 1 000 m²).
2. **où alle avait bouté son amiquié** : à qui elle avait donné son amour.
3. **velà** : voilà.
4. **créiature** : créature.
5. **coing** : fruit jaune du cognassier dont on fait des gelées et des pâtes ; d'où : « être jaune comme un coing ».
6. **n'a point profité tout** : ne s'est pas bien portée du tout.
7. **agriable** : agréable.
8. **Biauce** : Beauce.
9. **vous dégoisez** : vous parlez à tort et à travers.
10. **vous prenez trop de soin** : vous vous inquiétez trop.
11. **impartinante** : impertinente.
12. **mortifier** : humilier, punir.

Au fil du texte

Questions sur l'acte II, scène 1 (pages 45 à 48)

Avez-vous bien lu ?

1. Où se passe maintenant la scène ?
2. Quels sont les nouveaux personnages ?
3. Qui sont-ils les uns par rapport aux autres ?
4. De qui parle-t-on pendant toute la première partie de la scène ? Après avoir observé la liste des personnages, qu'en déduisez-vous ?
5. Quel personnage Jacqueline évoque-t-elle ?
6. Dans quelle scène et par qui en avons-nous déjà entendu parler ?
7. Deux catégories sociales sont représentées ici. Lesquelles ?
8. Classez chaque personnage dans l'une des deux catégories.
9. Quelles idées opposées sur le mariage Jacqueline et Géronte défendent-ils ?
10. Dans quel « camp » Molière se situe-t-il d'après vous ?

Les niveaux de langue

11. Expliquez *« et l'an dirait parfois [...] qu'il a quelque petit coup de hache à la tête »*.
12. Comment diriez-vous la même chose aujourd'hui en langage familier ?
13. Trouvez deux phrases équivalentes, l'une en langage courant, l'autre en langage soutenu.

Le personnage de Jacqueline

14) Recopiez la phrase suivante en choisissant les mots qui conviennent, puis encadrez la conjonction de coordination.
Jacqueline est une (servante, bourgeoise, demoiselle) mais elle se montre (insolente, gentille, obéissante) avec son maître.

15) Dites si la conjonction que vous avez encadrée marque l'addition ou l'opposition des deux idées.

16) Qui a déjà parlé des merveilleuses guérisons de Sganarelle ? à qui ? dans quelles scènes ?

17) Comprenez-vous facilement ce que dit Jacqueline ? Pourquoi ?

18) Quel autre personnage avons-nous déjà entendu s'exprimer de la sorte ?

19) Si Jacqueline s'exprimait dans la langue d'aujourd'hui, quel registre de langue utiliserait-elle ?

20) Quel procédé d'argumentation*, dont elle donne d'ailleurs immédiatement le nom, Jacqueline utilise-t-elle pour convaincre Géronte (lignes 52 à 58) ?

*** *procédé d'argumentation* : moyen employé dans le discours pour convaincre.**

Le comique de gestes

21) Quel est l'effet produit par le jeu de scène final ?

La place de la scène

22) Quelles répliques annoncent la scène suivante ?

23) Quelle question le spectateur peut-il se poser à la fin de la scène ?

SCÈNE 2

VALÈRE, SGANARELLE, GÉRONTE, LUCAS, JACQUELINE

1 VALÈRE – Monsieur, préparez-vous. Voici notre médecin qui entre.

GÉRONTE – Monsieur, je suis ravi de vous voir chez moi, et nous avons grand besoin de vous.

5 SGANARELLE, *en robe de médecin, avec un chapeau des plus pointus.* – Hippocrate[1] dit… que nous nous couvrions tous deux.

GÉRONTE – Hippocrate dit cela ?

SGANARELLE – Oui.

GÉRONTE – Dans quel chapitre, s'il vous plaît ?

10 SGANARELLE – Dans son chapitre des chapeaux.

GÉRONTE – Puisque Hippocrate le dit, il le faut faire.

SGANARELLE – Monsieur le Médecin, ayant appris les merveilleuses choses…

GÉRONTE – à qui parlez-vous, de grâce ?

15 SGANARELLE – À vous.

GÉRONTE – Je ne suis pas médecin.

SGANARELLE – Vous n'êtes pas médecin ?

GÉRONTE – Non, vraiment.

SGANARELLE *(Il prend ici un bâton, et le bat comme on l'a battu.)* –
20 Tout de bon ?

GÉRONTE – Tout de bon. Ah ! ah ! ah !

SGANARELLE – Vous êtes médecin maintenant : je n'ai jamais eu d'autres licences[2].

GÉRONTE – Quel diable d'homme m'avez-vous là amené ?

Notes

1. **Hippocrate** : célèbre médecin grec du IVe siècle av. J.-C. (citation fantaisiste).

2. **licences** : autorisations d'exercer la médecine.

25 VALÈRE – Je vous ai bien dit que c'était un médecin goguenard[1].

GÉRONTE – Oui; mais je l'envoirais promener avec ses goguenarderies.

LUCAS – Ne prenez pas garde à ça, Monsieu : ce n'est que pour rire.

30 GÉRONTE – Cette raillerie ne me plaît pas.

SGANARELLE – Monsieur, je vous demande pardon de la liberté que j'ai prise.

GÉRONTE – Monsieur, je suis votre serviteur[2].

SGANARELLE – Je suis fâché...

35 GÉRONTE – Cela n'est rien.

SGANARELLE – Des coups de bâton...

GÉRONTE – Il n'y a pas de mal.

SGANARELLE – Que j'ai eu l'honneur de vous donner.

GÉRONTE – Ne parlons plus de cela. Monsieur, j'ai une fille qui
40 est tombée dans une étrange maladie.

SGANARELLE – Je suis ravi, Monsieur, que votre fille ait besoin de moi; et je souhaiterais de tout mon cœur que vous en eussiez besoin aussi, vous et toute votre famille, pour vous témoigner l'envie que j'ai de vous servir.

45 GÉRONTE – Je vous suis obligé[3] de ces sentiments.

SGANARELLE – Je vous assure que c'est du meilleur de mon âme que je vous parle.

GÉRONTE – C'est trop d'honneur que vous me faites.

SGANARELLE – Comment s'appelle votre fille?

50 GÉRONTE – Lucinde.

Notes

1. **goguenard** : moqueur, railleur.
2. **je suis votre serviteur** : formule polie pour terminer l'entretien.
3. **je vous suis obligé** : je vous suis reconnaissant.

SGANARELLE – Lucinde! Ah! beau nom à médicamenter! Lucinde!

GÉRONTE – Je m'en vais voir un peu ce qu'elle fait.

SGANARELLE – Qui est cette grande femme-là?

GÉRONTE – C'est la nourrice d'un petit enfant que j'ai.

SGANARELLE – Peste! le joli meuble que voilà! Ah! Nourrice, charmante Nourrice, ma médecine est la très humble esclave de votre nourricerie, et je voudrais bien être le petit poupon fortuné[1] qui tétât le lait *(il lui porte la main sur le sein)* de vos bonnes grâces. Tous mes remèdes, toute ma science, toute ma capacité est à votre service, et…

LUCAS – Avec votre parmission[2], Monsieu le Médecin, laissez là ma femme, je vous prie.

SGANARELLE – Quoi? est-elle votre femme?

LUCAS – Oui.

SGANARELLE *(Il fait semblant d'embrasser Lucas, et se tournant du côté de la Nourrice, il l'embrasse.)* – Ah! vraiment, je ne savais pas cela, et je m'en réjouis pour l'amour de l'un et de l'autre.

LUCAS, *en le tirant.* – Tout doucement, s'il vous plaît.

SGANARELLE – Je vous assure que je suis ravi que vous soyez unis ensemble. Je la félicite d'avoir *(il fait encore semblant d'embrasser Lucas, et, passant dessous ses bras, se jette au col de sa femme)* un mari comme vous; et je vous félicite, vous, d'avoir une femme si belle, si sage, et si bien faite comme elle est.

LUCAS, *en le tirant encore.* – Eh! testigué[3]! point tant de compliment, je vous supplie.

SGANARELLE – Ne voulez-vous pas que je me réjouisse avec vous d'un si bel assemblage?

Notes

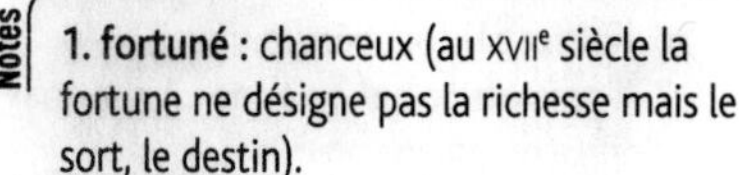

1. **fortuné** : chanceux (au XVIIe siècle la fortune ne désigne pas la richesse mais le sort, le destin).

2. **parmission** : permission.

3. **testigué** : déformation de (par) la tête de Dieu.

LUCAS – Avec moi, tant qu'il vous plaira ; mais avec ma femme,
80 trêve de sarimonie[1].

SGANARELLE – Je prends part également au bonheur de tous deux ; et *(il continue le même jeu)* si je vous embrasse pour vous en témoigner ma joie, je l'embrasse de même pour lui en témoigner aussi.

85 LUCAS, *en le tirant derechef*[2]. – Ah ! vartigué[3], Monsieu le Médecin, que de lantiponages[4].

SCÈNE 3

SGANARELLE, GÉRONTE, LUCAS, JACQUELINE

1 GÉRONTE – Monsieur, voici tout à l'heure ma fille qu'on va vous amener.

SGANARELLE – Je l'attends, Monsieur, avec toute la médecine.

GÉRONTE – Où est-elle ?

5 SGANARELLE, *se touchant le front.* – Là-dedans.

GÉRONTE – Fort bien.

SGANARELLE, *en voulant toucher les tétons de la Nourrice.* – Mais comme je m'intéresse à toute votre famille, il faut que j'essaye un peu le lait de votre nourrice, et que je visite son sein.

10 LUCAS, *le tirant, en lui faisant faire la pirouette.* – Nanin[5], nanin ; je n'avons que faire de ça.

SGANARELLE – C'est l'office[6] du médecin de voir les tétons des nourrices.

LUCAS – Il gnia office qui quienne[7], je sis votte sarviteur.

Notes

1. **trêve de sarimonie** : assez de cérémonie.
2. **derechef** : de nouveau.
3. **vartigué** : (juron patois) par la vertu de Dieu.
4. **lantiponages** : retards.
5. **Nanin** : nenni, non.
6. **l'office** : la fonction, le travail.
7. **il gnia office qui quienne** : il n'y a pas d'office qui tienne.

15 SGANARELLE – As-tu bien la hardiesse de t'opposer au médecin ? Hors de là !

LUCAS – Je me moque de ça.

SGANARELLE, *en le regardant de travers.* – Je te donnerai la fièvre.

JACQUELINE, *prenant Lucas par le bras et lui faisant aussi faire la*
20 *pirouette.* – Ôte-toi de là aussi ; est-ce que je ne sis pas assez grande pour me défendre moi-même, s'il me fait quelque chose qui ne soit pas à faire ?

LUCAS – Je ne veux pas qu'il te tâte, moi.

SGANARELLE – Fi, le vilain[1], qui est jaloux de sa femme !

25 GÉRONTE – Voici ma fille.

Note

1. **vilain** : paysan (par opposition au bourgeois et au noble) puis, par extension, homme vulgaire et méprisable qui est trop attaché à son bien (ici, sa femme !).

Sganarelle *« voulant toucher les tétons de la Nourrice »* Jacqueline.

Au fil du texte

Questions sur l'acte II, scènes 2 et 3 (pages 51 à 55)

AVEZ-VOUS BIEN LU ?

1. Quelle entrée attend-on avec impatience ?

2. L'entrée de Sganarelle à la scène 2 est :

   a) timide.

   b) spectaculaire.

   Justifiez votre réponse.

3. Comment s'appelle la fille de Géronte ?

4. Quels mots montrent que Sganarelle utilise son rôle de médecin pour séduire Jacqueline ?

5. Comment réagit Jacqueline ? Qu'en pensez-vous ?

6. Qu'apprend Sganarelle sur Lucas dans la scène 2 ?

7. Comparez les couples Lucas/Jacqueline, Martine/Sganarelle.

8. Quel est le premier mot de Sganarelle dans la scène 2 ? Pourquoi ?

9. Après avoir relu la note concernant Hippocrate, page 51, que pensez-vous de la « citation » de Sganarelle ?

LE COMIQUE DE LA FARCE

Les procédés comiques dans la farce

La farce touche un public populaire qui apprécie particulièrement les jeux de scène, notamment les coups de bâton. On peut relever également du comique de mots (voir p. 43).

10. À qui s'adresse le « *Monsieur* » que prononce Valère ? À qui s'adresse le « *Monsieur* » que prononce Géronte ?

11. En complétant le tableau ci-après, indiquez combien de fois, depuis le début de la pièce, nous avons assisté à des bastonnades.

Acte, scène			
Qui frappe			
Qui est frappé			

12. Pourquoi Sganarelle donne-t-il des coups de bâton à Géronte ?

13. Quelle didascalie* justifie votre réponse ?

14. Quel effet ce passage a-t-il sur le spectateur ?

15. Citez une réplique de la scène que vous trouvez comique.

16. Expliquez-la.

*** *didascalie* : indication donnée par l'auteur de la pièce.**

LA FONCTION DES DEUX SCÈNES

17. Pourquoi peut-on relier les scènes 2 et 3 entre elles comme si elles n'en faisaient qu'une ?

18. Quelle est la dernière réplique ?

19. Vous diriez qu'elle produit :

a) un effet comique ;

b) un effet de suspense.

À VOS PLUMES !

20. Rédigez une ou deux questions que le spectateur peut se poser à la fin de la scène 3. Justifiez votre choix en une ou deux phrases.

SCÈNE 4

LUCINDE, VALÈRE, GÉRONTE, LUCAS, SGANARELLE, JACQUELINE

1 SGANARELLE – Est-ce là la malade?

GÉRONTE – Oui, je n'ai qu'elle de fille; et j'aurais tous les regrets du monde si elle venait à mourir.

SGANARELLE – Qu'elle s'en garde bien! il ne faut pas qu'elle
5 meure sans l'ordonnance du médecin.

GÉRONTE – Allons, un siège.

SGANARELLE – Voilà une malade qui n'est pas tant dégoûtante, et je tiens qu'un homme bien sain s'en accommoderait assez.

GÉRONTE – Vous l'avez fait rire, Monsieur.

10 SGANARELLE – Tant mieux : lorsque le médecin fait rire le malade, c'est le meilleur signe du monde. Eh bien! de quoi est-il question? qu'avez-vous? quel est le mal que vous sentez?

LUCINDE *répond par signes, en portant sa main à sa bouche, à sa tête, et sous son menton.* – Han, hi, hom, han.

15 SGANARELLE – Eh! que dites-vous?

LUCINDE *continue les mêmes gestes.* – Han, hi, hom, han, han, hi, hom.

SGANARELLE – Quoi?

LUCINDE – Han, hi, hom.

20 SGANARELLE, *la contrefaisant*[1]. – Han, hi, hom, han, ha : je ne vous entends point. Quel diable de langage est-ce là?

GÉRONTE – Monsieur, c'est là sa maladie. Elle est devenue muette, sans que jusques ici on en ait pu savoir la cause; et c'est un accident qui a fait reculer son mariage.

25 SGANARELLE – Et pourquoi?

Note

1. **la contrefaisant** : l'imitant.

GÉRONTE – Celui qu'elle doit épouser veut attendre sa guérison pour conclure les choses.

SGANARELLE – Et qui est ce sot-là qui ne veut pas que sa femme soit muette ? Plût à Dieu que la mienne eût cette maladie ! je
30 me garderais bien de la vouloir guérir.

GÉRONTE – Enfin, Monsieur, nous vous prions d'employer tous vos soins pour la soulager de son mal.

SGANARELLE – Ah ! ne vous mettez pas en peine. Dites-moi un peu, ce mal l'oppresse[1]-t-il beaucoup ?

35 GÉRONTE – Oui, Monsieur.

SGANARELLE – Tant mieux. Sent-elle de grandes douleurs ?

GÉRONTE – Fort grandes.

SGANARELLE – C'est fort bien fait. Va-t-elle où vous savez ?

GÉRONTE – Oui.

40 SGANARELLE – Copieusement ?

GÉRONTE – Je n'entends rien à cela.

SGANARELLE – La matière est-elle louable ?

GÉRONTE – Je ne me connais pas à ces choses.

SGANARELLE, *se tournant vers la malade.* – Donnez-moi votre
45 bras. Voilà un pouls qui marque que votre fille est muette.

GÉRONTE – Eh oui, Monsieur, c'est là son mal ; vous l'avez trouvé tout du premier coup.

SGANARELLE – Ah ! ah !

JACQUELINE – Voyez comme il a deviné sa maladie !

50 SGANARELLE – Nous autres grands médecins, nous connaissons d'abord les choses. Un ignorant aurait été embarrassé, et vous eût été dire : « C'est ceci, c'est cela » ; mais moi, je touche au but du premier coup, et je vous apprends que votre fille est muette.

Note

1. **oppresse :** gêne pour respirer.

55 GÉRONTE – Oui; mais je voudrais bien que vous me puissiez dire d'où cela vient.

SGANARELLE – Il n'est rien de plus aisé : cela vient de ce qu'elle a perdu la parole.

GÉRONTE – Fort bien; mais la cause, s'il vous plaît, qui fait
60 qu'elle a perdu la parole?

SGANARELLE – Tous nos meilleurs auteurs vous diront que c'est l'empêchement de l'action de sa langue.

GÉRONTE – Mais encore, vos sentiments sur cet empêchement de l'action de sa langue?

65 SGANARELLE – Aristote[1], là-dessus, dit... de fort belles choses.

GÉRONTE – Je le crois.

SGANARELLE – Ah! c'était un grand homme!

GÉRONTE – Sans doute.

SGANARELLE, *levant son bras depuis le coude.* – Grand homme
70 tout à fait : un homme qui était plus grand que moi de tout cela. Pour revenir donc à notre raisonnement, je tiens[2] que cet empêchement de l'action de sa langue est causé par de certaines humeurs, qu'entre nous autres savants nous appelons humeurs peccantes[3]; peccantes, c'est-à-dire... humeurs
75 peccantes; d'autant que les vapeurs formées par les exhalaisons[4] des influences qui s'élèvent dans la région des maladies, venant... pour ainsi dire... à... Entendez-vous[5] le latin?

GÉRONTE – En aucune façon.

Notes

1. Aristote : célèbre philosophe grec (du IVe siècle av. J.-C.).

2. je tiens : j'affirme, je considère comme sûr.

3. humeurs peccantes : au XVIIe siècle, on admettait selon la théorie de Galien (né en 131) que la santé résultait de l'équilibre des quatre « humeurs » suivantes : le sang, la lymphe, la bile et l'atrabile, ou bile noire. Quand l'équilibre est rompu à cause d'humeurs « peccantes » (mauvaises), on tombe malade.

4. exhalaisons : gaz, odeurs, vapeurs qui viennent du corps.

5. Entendez-vous : comprenez-vous.

SGANARELLE, *se levant avec étonnement.* – Vous n'entendez point
80 le latin !

GÉRONTE – Non.

SGANARELLE, *en faisant diverses plaisantes postures.* – *Cabricias arci thuram, catalamus*[1], *singulariter, nominativo haec Musa,* « la Muse », *bonus, bona, bonum, Deus sanctus, estne oratio latinas ? Etiam,*
85 « oui ». *Quare,* « pourquoi » ? *Quia substantivo et adjectivum concordat in generi, numerum, et casus.*

GÉRONTE – Ah ! que n'ai-je étudié ?

JACQUELINE – L'habile homme que velà !

LUCAS – Oui, ça est si biau, que je n'y entends goutte.

90 SGANARELLE – Or ces vapeurs dont je vous parle venant à passer, du côté gauche, où est le foie, au côté droit, où est le cœur, il se trouve que le poumon, que nous appelons en latin *armyan*[1], ayant communication avec le cerveau, que nous nommons en grec *nasmus*[1], par le moyen de la veine cave, que nous appelons
95 en hébreu *cubile*[2], rencontre en son chemin lesdites vapeurs, qui remplissent les ventricules de l'omoplate ; et parce que lesdites vapeurs... comprenez bien ce raisonnement, je vous prie ; et parce que lesdites vapeurs ont une certaine malignité[3]... écoutez bien ceci, je vous conjure.

100 GÉRONTE – Oui.

SGANARELLE – Ont une certaine malignité, qui est causée... Soyez attentif, s'il vous plaît.

GÉRONTE – Je le suis.

SGANARELLE – Qui est causée par l'âcreté des humeurs engen-
105 drées dans la concavité du diaphragme, il arrive que ces

Notes

1. *Cabricias arci thuram, catalamus* [...] *et casus* [...] *armyan* [...] *nasmus* : mots latins inventés ou non par Sganarelle et utilisés de manière fantaisiste.

2. *cubile* : (en latin et non en hébreu) un lit.

3. **malignité** : effet malin, c'est-à-dire mauvais.

vapeurs... *Ossabandus, nequeis, nequer, potarinum, quipsa milus*[1]. Voilà justement ce qui fait que votre fille est muette.

JACQUELINE – Ah! que ça est bian dit, notte[2] homme!

LUCAS – Que n'ai-je la langue aussi bian pendue?

110 GÉRONTE – On ne peut pas mieux raisonner, sans doute. Il n'y a qu'une seule chose qui m'a choqué : c'est l'endroit du foie et du cœur. Il me semble que vous les placez autrement qu'ils ne sont; que le cœur est du côté gauche, et le foie du côté droit.

SGANARELLE – Oui, cela était autrefois ainsi; mais nous avons 115 changé tout cela, et nous faisons maintenant la médecine d'une méthode toute nouvelle.

GÉRONTE – C'est ce que je ne savais pas, et je vous demande pardon de mon ignorance.

SGANARELLE – Il n'y a point de mal, et vous n'êtes pas obligé 120 d'être aussi habile que nous.

GÉRONTE – Assurément. Mais, Monsieur, que croyez-vous qu'il faille faire à cette maladie?

SGANARELLE – Ce que je crois qu'il faille faire?

GÉRONTE – Oui.

125 SGANARELLE – Mon avis est qu'on la remette sur son lit, et qu'on lui fasse prendre pour remède quantité de pain trempé dans du vin.

GÉRONTE – Pourquoi cela, Monsieur?

SGANARELLE – Parce qu'il y a dans le vin et le pain, mêlés 130 ensemble, une vertu sympathique[3] qui fait parler. Ne voyez-vous pas bien qu'on ne donne autre chose aux perroquets, et qu'ils apprennent à parler en mangeant de cela?

Notes

1. ***Ossabandus*** **[...]** ***milus*** : faux mots latins inventés par Sganarelle.
2. **notte** : notre.
3. **une vertu sympathique** : une propriété qui les rend efficaces (le vin et le pain).

GÉRONTE – Cela est vrai. Ah! le grand homme! Vite, quantité de pain et de vin!

135 SGANARELLE – Je reviendrai voir, sur le soir, en quel état elle sera. *(à la nourrice.)* Doucement, vous. Monsieur, voilà une nourrice à laquelle il faut que je fasse quelques petits remèdes.

JACQUELINE – Qui? moi? Je me porte le mieux du monde.

SGANARELLE – Tant pis, Nourrice, tant pis. Cette grande santé
140 est à craindre, et il ne sera pas mauvais de vous faire quelque petite saignée amiable[1], de vous donner quelque petit clystère dulcifiant[2].

GÉRONTE – Mais, Monsieur, voilà une mode que je ne comprends point. Pourquoi s'aller faire saigner quand on n'a point
145 de maladie?

SGANARELLE – Il n'importe, la mode en est salutaire; et comme on boit pour la soif à venir, il faut se faire aussi saigner pour la maladie à venir.

JACQUELINE, *en se retirant.* – Ma fi[3]! je me moque de ça, et je ne
150 veux point faire de mon corps une boutique d'apothicaire[4].

SGANARELLE – Vous êtes rétive[5] aux remèdes; mais nous saurons vous soumettre à la raison. *(Parlant à Géronte.)* Je vous donne le bonjour.

GÉRONTE – Attendez un peu, s'il vous plaît.

155 SGANARELLE – Que voulez-vous faire?

GÉRONTE – Vous donner de l'argent, Monsieur.

SGANARELLE, *tendant sa main derrière, par-dessous sa robe, tandis que Géronte ouvre sa bourse.* – Je n'en prendrai pas, Monsieur.

GÉRONTE – Monsieur…

Notes

1. **saignée amiable** : saignée amicale, douce.
2. **clystère dulcifiant** : lavement adoucissant.
3. **Ma fi** : ma foi.
4. **apothicaire** : pharmacien, préparateur des remèdes et infirmier.
5. **rétive** : qui n'est pas docile, rebelle.

160 SGANARELLE – Point du tout.

GÉRONTE – Un petit moment.

SGANARELLE – En aucune façon.

GÉRONTE – De grâce !

SGANARELLE – Vous vous moquez.

165 GÉRONTE – Voilà qui est fait.

SGANARELLE – Je n'en ferai rien.

GÉRONTE – Eh !

SGANARELLE – Ce n'est pas l'argent qui me fait agir.

GÉRONTE – Je le crois.

170 SGANARELLE, *après avoir pris l'argent.* – Cela est-il de poids ?

GÉRONTE – Oui, Monsieur.

SGANARELLE – Je ne suis pas un médecin mercenaire[1].

GÉRONTE – Je le sais bien.

SGANARELLE – L'intérêt ne me gouverne point[2].

175 GÉRONTE – Je n'ai pas cette pensée.

Notes

1. **mercenaire** : qui travaille pour de l'argent (comme les aventuriers).

2. **L'intérêt ne me gouverne point** : ce n'est pas l'argent qui me fait agir.

V. Deville (Jacqueline), I. Irène (Lucinde) et A. Saint-Père (Sganarelle), Compagnie Ecla Théâtre, mise en scène de Patrick Bricard (1996).

Au fil du texte

Questions sur l'acte II, scène 4 (pages 59 à 65)

Avez-vous bien lu ?

1. Que sait-on de Lucinde jusqu'à maintenant ?
2. Quelle information nouvelle nous est donnée sur l'intrigue par Géronte ?
3. Pourquoi Sganarelle demande-t-il à Géronte s'il comprend le latin ?
4. Quel trait de caractère de Géronte se confirme dans cette scène ?
5. Que pensez-vous des questions et réponses, du diagnostic et de l'ordonnance du « médecin » Sganarelle ?
6. Quel trait de caractère de Sganarelle se confirme à la fin de la scène ?
7. Quelle est « l'arme » la plus efficace de Sganarelle ?
8. Quels reproches Molière fait-il aux médecins à travers cette scène ?
9. Résumez la situation de cette scène en une phrase.
10. Qu'a-t-elle de particulier ?
11. Relevez la réplique comique qui concerne le vrai Sganarelle et non plus le faux médecin.

La diversité des types de phrases

Les types de phrases

La phrase **déclarative** donne une information.
La phrase **interrogative** pose une question.
La phrase **exclamative** exprime un sentiment, une émotion ou une sensation.
La phrase **injonctive** exprime un ordre, une interdiction, un conseil.

12 Quels types de phrases sont utilisés dans une consultation médicale :

a) par le médecin ?

b) par le malade ?

13 Recopiez un exemple de chaque type pris dans la scène. Repassez en rouge la majuscule et le signe de ponctuation final.

Le comique de la farce

14 Relevez tous les éléments comiques de la scène et classez-les.

15 Recopiez les interjections* qui traduisent les efforts que fait Lucinde pour parler.

*** *interjection* : mot invariable qui exprime un sentiment ou une attitude.**

Un thème : la médecine

16 Relevez les répliques invraisemblables qui ne pourraient pas être prononcées par un vrai médecin.

17 Sganarelle a-t-il réussi sa consultation ? Qu'en déduisez-vous ?

18 Diriez-vous que cette scène est, dans la pièce :

a) très importante ?

b) peu importante ?
Donnez deux raisons qui justifient votre réponse.

À vos plumes !

19. Imaginez un dialogue entre un vrai patient et un vrai médecin. Aidez-vous de vos souvenirs personnels si nécessaire.

20. Rédigez un paragraphe dans lequel vous direz quel est, d'après vous, le rôle d'un médecin et ce que vous et vos parents attendez de lui dans une consultation.

21. Rédigez un petit paragraphe pour « expliquer » dans un « jargon » informatique ou électronique comment fonctionne un appareil qu'il faut mettre en service.

Lire l'image

22. À quel moment de la scène correspond, d'après vous, la photo de la page 66 ?

Mise en scène

23. Travaillez le personnage de Lucinde.
Quelles mimiques, quelles expressions doit-elle prendre ?

SCÈNE 5

SGANARELLE, LÉANDRE

1 SGANARELLE, *regardant son argent.* – Ma foi! cela ne va pas mal; et pourvu que...

LÉANDRE – Monsieur, il y a longtemps que je vous attends, et je viens implorer[1] votre assistance.

5 SGANARELLE, *lui prenant le poignet.* – Voilà un pouls qui est fort mauvais.

LÉANDRE – Je ne suis point malade, Monsieur, et ce n'est pas pour cela que je viens à vous.

SGANARELLE – Si vous n'êtes pas malade, que diable ne le dites-
10 vous donc?

LÉANDRE – Non : pour vous dire la chose en deux mots, je m'appelle Léandre, qui suis amoureux de Lucinde, que vous venez de visiter; et comme, par la mauvaise humeur de son père, toute sorte d'accès m'est fermé auprès d'elle[2], je me
15 hasarde[3] à vous prier de vouloir servir mon amour, et de me donner lieu d'exécuter un stratagème[4] que j'ai trouvé, pour lui pouvoir dire deux mots, d'où dépendent absolument mon bonheur et ma vie.

SGANARELLE, *paraissant en colère.* – Pour qui me prenez-vous?
20 Comment oser vous adresser à moi pour vous servir dans votre amour, et vouloir ravaler[5] la dignité de médecin à des emplois de cette nature[6]?

LÉANDRE – Monsieur, ne faites point de bruit.

Notes

1. **implorer** : supplier.
2. **toute sorte d'accès m'est fermé auprès d'elle** : on m'interdit absolument de la voir.
3. **hasarde** : risque.
4. **un stratagème** : une ruse.
5. **ravaler** : rabaisser.
6. **à des emplois de cette nature** : à des rôles, des fonctions de cette sorte.

SGANARELLE, *en le faisant reculer.* – J'en veux faire, moi. Vous êtes
25 un impertinent.

LÉANDRE – Eh! Monsieur, doucement.

SGANARELLE – Un malavisé[1].

LÉANDRE – De grâce!

SGANARELLE – Je vous apprendrai que je ne suis point homme
30 à cela, et que c'est une insolence extrême...

LÉANDRE, *tirant une bourse qu'il lui donne.* – Monsieur...

SGANARELLE, *tenant la bourse.* – De vouloir m'employer... Je ne parle pas pour vous, car vous êtes honnête homme, et je serais ravi de vous rendre service; mais il y a de certains impertinents au monde qui viennent prendre les gens pour ce qu'ils ne sont pas; et je vous avoue que cela me met en colère.
35

LÉANDRE – Je vous demande pardon, Monsieur, de la liberté que...

SGANARELLE – Vous vous moquez. De quoi est-il question?

40 LÉANDRE – Vous saurez donc, Monsieur, que cette maladie que vous voulez guérir est une feinte[2] maladie. Les médecins ont raisonné là-dessus comme il faut; et ils n'ont pas manqué de dire que cela procédait[3], qui du[4] cerveau, qui des entrailles, qui de la rate, qui du foie; mais il est certain que l'amour en est la véritable cause, et que Lucinde n'a trouvé cette maladie que pour se délivrer d'un mariage dont elle était importunée. Mais, de crainte qu'on ne nous voie ensemble, retirons-nous d'ici, et je vous dirai en marchant ce que je souhaite de vous.
45

Notes

1. **Un malavisé** : un étourdi qui parle sans réfléchir et mal à propos.
2. **feinte** : simulée, fausse.
3. **procédait** : venait.
4. **qui du [...] qui des** : selon l'un, selon l'autre.

SGANARELLE – Allons, Monsieur, vous m'avez donné pour
50 votre amour une tendresse qui n'est pas concevable ; et j'y perdrai toute ma médecine, ou la malade crèvera, ou bien elle sera à vous.

Molière en habit de Sganarelle par Simonin.

Au fil du texte

Questions sur l'acte II, scène 5 (pages 70 à 72)

Que s'est-il passé entre-temps ?

1. Quelle est la provenance de l'argent que compte Sganarelle ?

Avez-vous bien lu ?

2. Quel nouveau personnage apparaît dans cette scène ?
3. Qui est-il ? Que savons-nous de lui ?
4. Que nous apprend-il sur Lucinde ?
5. Est-ce vraiment une surprise ? Pourquoi ?
6. Que veut-il ?
7. À quoi voyez-vous que Sganarelle est « devenu » un médecin ?

Satire de la médecine

La fonction satirique de la comédie

La satire est une critique par le rire. La comédie fait rire le public pour dénoncer un fait de société ou un caractère, par exemple l'autorité abusive des pères ou bien la prétention des médecins.

8. Expliquez la dernière phrase de Sganarelle. En quoi est-elle une allusion satirique à la médecine ?

Une scène dynamique

9) Quel est celui des deux personnages qui est en position de force ? Justifiez votre réponse par l'étude du vocabulaire, des didascalies, de la ponctuation…

10) À partir de quel moment précis le ton de Sganarelle change-t-il ? Justifiez votre réponse.

11) Quel est le nom du procédé comique utilisé au début de la scène ?

12) Dans quelle autre scène a-t-il déjà été utilisé ?

La place et la fonction de la scène

13) Quelle question peut se poser le spectateur par rapport à la suite de la pièce ?

14) À la fin de la scène, la situation a évolué de telle façon que nous pouvons répartir les personnages dans deux « camps ». Placez-les en encadrant leur « chef ». (Mettez à part ceux pour lesquels vous ne pouvez pas vous prononcer.)
Lucinde, Lucas, Jacqueline, Sganarelle, Valère, Géronte, Léandre, Horace.

....	....
....	....
....	....
....	....
....	....

Mise en scène

15) Comment montrer, par les déplacements, les attitudes et le ton des deux acteurs, le renversement de situation qui s'opère dans la scène ?

Acte III

SCÈNE 1

SGANARELLE, LÉANDRE

1 LÉANDRE – Il me semble que je ne suis pas mal ainsi pour un apothicaire ; et comme le père ne m'a guère vu, ce changement d'habit et de perruque est assez capable, je crois, de me déguiser à ses yeux.

5 SGANARELLE – Sans doute[1].

LÉANDRE – Tout ce que je souhaiterais serait de savoir cinq ou six grands mots de médecine, pour parer[2] mon discours et me donner l'air d'habile homme.

SGANARELLE – Allez, allez, tout cela n'est pas nécessaire : il suf-
10 fit de l'habit, et je n'en sais pas plus que vous.

LÉANDRE – Comment ?

SGANARELLE – Diable emporte[3] si j'entends[4] rien en médecine ! Vous êtes honnête homme[5], et je veux bien me confier à vous, comme vous vous confiez à moi.

15 LÉANDRE – Quoi ? vous n'êtes pas effectivement...

Notes

1. **sans doute** : certainement, sans aucun doute.
2. **parer** : enjoliver, orner.
3. **Diable emporte** : le diable m'emporte.
4. **j'entends** : je connais, je comprends.
5. **honnête homme** : qui sait se conduire en société (au sens du XVIIe siècle), discret.

SGANARELLE – Non, vous dis-je : ils m'ont fait médecin malgré mes dents[1]. Je ne m'étais jamais mêlé d'être si savant que cela ; et toutes mes études n'ont été que jusqu'en sixième. Je ne sais point sur quoi cette imagination leur est venue ; mais quand
20 j'ai vu qu'à toute force ils voulaient que je fusse médecin, je me suis résolu de l'être, aux dépens de qui il appartiendra[2]. Cependant vous ne sauriez croire comment l'erreur s'est répandue, et de quelle façon chacun est endiablé[3] à me croire habile homme. On me vient chercher de tous les côtés ; et
25 si les choses vont toujours de même, je suis d'avis de m'en tenir, toute ma vie, à la médecine. Je trouve que c'est le métier le meilleur de tous ; car, soit qu'on fasse bien ou soit qu'on fasse mal, on est toujours payé de même sorte : la méchante besogne ne retombe jamais sur notre dos ; et nous taillons,
30 comme il nous plaît, sur l'étoffe où nous travaillons. Un cordonnier, en faisant des souliers, ne saurait gâter un morceau de cuir qu'il n'en paye les pots cassés[4] ; mais ici l'on peut gâter[5] un homme sans qu'il en coûte rien. Les bévues ne sont point pour nous[6] ; et c'est toujours la faute de celui qui meurt. Enfin
35 le bon de cette profession est qu'il y a parmi les morts une honnêteté[7], une discrétion la plus grande du monde ; et jamais on n'en voit se plaindre du médecin qui l'a tué.

LÉANDRE – Il est vrai que les morts sont fort honnêtes gens sur cette matière.

Notes

1. **malgré mes dents** : malgré moi.
2. **de qui il appartiendra** : de qui le voudra.
3. **endiablé** : possédé par le diable.
4. **qu'il n'en paye les pots cassés** : sans qu'il en paie les pots cassés, sans qu'il en paie les conséquences.
5. **gâter** : abîmer, mal soigner.
6. **les bévues ne sont point pour nous** : nous ne sommes pas responsables des erreurs.
7. **une honnêteté** : une politesse.

40 SGANARELLE, *voyant des hommes qui viennent vers lui.* – Voilà des gens qui ont la mine de me venir consulter[1]. Allez toujours m'attendre auprès du logis de votre maîtresse.

SCÈNE 2

THIBAUT, PERRIN, SGANARELLE

1 THIBAUT – Monsieu, je venons vous charcher[2], mon fils Perrin et moi.

SGANARELLE – Qu'y a-t-il ?

THIBAUT – Sa pauvre mère, qui a nom Parette, est dans un lit,
5 malade, il y a six mois[3].

SGANARELLE, *tendant la main, comme pour recevoir de l'argent.* – Que voulez-vous que j'y fasse ?

THIBAUT – Je voudrions, Monsieu, que vous nous baillissiez[4] quelque petite drôlerie pour la garir[5].

10 SGANARELLE – Il faut voir de quoi est-ce qu'elle est malade.

THIBAUT – Alle[6] est malade d'hypocrisie[7], Monsieu.

SGANARELLE – D'hypocrisie ?

THIBAUT – Oui, c'est-à-dire qu'alle est enflée partout ; et l'an dit que c'est quantité de sériosités[8] qu'elle a dans le corps, et que
15 son foie, son ventre, ou sa rate, comme vous voudrais l'appe-

Notes

1. **qui ont la mine de me venir consulter** : qui ont l'air de venir me consulter.
2. **je venons vous charcher** : je viens vous chercher.
3. **il y a six mois** : depuis six mois.
4. **que vous nous baillissiez** : que vous nous donniez.
5. **garir** : guérir.
6. **Alle** : elle.
7. **hypocrisie** : Thibaut confond l'hypocrisie (le manque de franchise) avec l'hydropisie, nom ancien de l'œdème (maladie qui se traduit par un gonflement des tissus dû à une infiltration de sérosités).
8. **sériosités** : sérosités ; nom donné à certains liquides organiques.

ler, au glieu[1] de faire du sang, ne fait plus que de l'iau[2]. Alle a, de deux jours l'un[3], la fièvre quotiguenne[4], avec des lassitudes et des douleurs dans les mufles[5] des jambes. On entend dans sa gorge des fleumes[6] qui sont tout prêts à l'étouffer; et
20 parfois il lui prend des syncoles[7] et des conversions[8], que je crayons qu'alle est passée[9]. J'avons dans notte village un apothicaire, révérence parler[10], qui li a donné je ne sai combien d'histoires; et il m'en coûte plus d'eune douzaine de bons écus[11] en lavements, ne v's en déplaise, en apostumes[12] qu'on
25 li a fait prendre, en infections de jacinthe[13], et en portions cordales[14]. Mais tout ça, comme dit l'autre, n'a été que de l'onguent miton mitaine[15]. Il velait li bailler[16] d'eune certaine drogue que l'on appelle du vin amétile[17]; mais j'ai-s-eu peur, franchement, que ça l'envoyît *a patres*[18]; et l'an dit que ces
30 gros médecins tuont je ne sais combien de monde avec cette invention-là.

SGANARELLE, *tendant toujours la main en la branlant*[19], *comme pour signe qu'il demande de l'argent.* – Venons au fait, mon ami, venons au fait.

35 THIBAUT – Le fait est, Monsieu, que je venons vous prier de nous dire ce qu'il faut que je fassions.

Notes

1. **au glieu** : au lieu.
2. **l'iau** : l'eau.
3. **de deux jours l'un** : un jour sur deux.
4. **quotiguenne** : quotidienne.
5. **mufles** : muscles.
6. **fleumes** : flegmes; glaires, mucosités qui encombrent la gorge.
7. **syncoles** : syncopes (évanouissements).
8. **conversions** : convulsions.
9. **que je crayons qu'alle est passée** : que je crois qu'elle est morte (trépassée).
10. **révérence parler** : formule d'excuse.
11. **écus** : pièces d'argent de trois livres.
12. **apostumes** : abcès; Thibaut confond avec le mot *apozèmes* : tisanes.
13. **infections de jacinthe** : Thibaut confond avec infusions.
14. **portions cordales** : potions cordiales (pour le cœur).
15. **l'onguent miton mitaine** : pommade sans danger et sans efficacité.
16. **Il velait li bailler** : il voulait lui donner.
17. **vin amétile** : vin additionné d'un médicament pour faire vomir (remède courant à l'époque).
18. **que ça l'envoyît *a patres*** : qu'on l'envoyât chez ses pères morts, dans l'au-delà.
19. **branlant** : remuant.

SGANARELLE – Je ne vous entends point du tout.

PERRIN – Monsieu, ma mère est malade ; et velà deux écus que je vous apportons pour nous bailler queuque remède[1].

40 SGANARELLE – Ah ! je vous entends, vous. Voilà un garçon qui parle clairement, qui s'explique comme il faut. Vous dites que votre mère est malade d'hydropisie, qu'elle est enflée par tout le corps, qu'elle a la fièvre, avec des douleurs dans les jambes, et qu'il lui prend parfois des syncopes et des convulsions, 45 c'est-à-dire des évanouissements ?

PERRIN – Eh ! oui, Monsieu, c'est justement ça.

SGANARELLE – J'ai compris d'abord vos paroles. Vous avez un père qui ne sait ce qu'il dit. Maintenant vous me demandez un remède ?

50 PERRIN – Oui, Monsieu.

SGANARELLE – Un remède pour la guérir ?

PERRIN – C'est comme je l'entendons.

SGANARELLE – Tenez, voilà un morceau de formage[2] qu'il faut que vous lui fassiez prendre.

55 PERRIN – Du fromage, Monsieu ?

SGANARELLE – Oui, c'est un formage préparé, où il entre de l'or, du corail et des perles, et quantité d'autres choses précieuses.

PERRIN – Monsieu, je vous sommes bien obligés ; et j'allons li faire prendre ça tout à l'heure[3].

60 SGANARELLE – Allez. Si elle meurt, ne manquez pas de la faire enterrer du mieux que vous pourrez.

Notes

1. **queuque remède** : quelque remède.
2. **formage** : prononciation correcte pour l'époque (fromage est alors la forme populaire).
3. **tout à l'heure** : tout de suite.

La Femme hydropique, gravure de Jean-Baptiste Fosseyeux d'après une peinture de Gérard Dou.

Un seigneur et ses fermiers sous Louis XIV, gravure de J.-B. Bonnart.

Au fil du texte

Questions sur l'acte III, scènes 1 et 2 (pages 75 à 79)

Que s'est-il passé entre-temps ?

1. Que s'est-il passé entre l'acte II et l'acte III ?

Avez-vous bien lu ?

2. Où se passe l'action ?

3. Quelle confidence Sganarelle fait-il à Léandre ? Pourquoi ?

4. Quels nouveaux personnages apparaissent à la scène 2 ?

5. Expliquez la réplique : *« Ah ! je vous entends, vous. Voilà un garçon qui parle clairement, qui s'explique comme il faut »* (scène 2, lignes 40-41).

Le comique de mots

6. Relevez dans les tirades de Thibaut et de Sganarelle deux couples de mots confondus par Thibaut et employez-les dans deux phrases différentes. (Ex. : hypocrisie et hydropisie)

Le coup de théâtre

7. Dans une pièce de théâtre, on appelle « coup de théâtre » un événement inattendu qui crée un effet de surprise.
   Quel élément de la scène 1 représente un coup de théâtre pour Léandre ?

8. Quel autre élément représente un coup de théâtre pour le spectateur ?

Un genre : la farce

9. Recopiez la phrase suivante en utilisant le mot qui convient.
Au théâtre, dans une farce, un des procédés couramment utilisés pour faire rire le public est (la confidence / le déguisement).

Un thème : la médecine

10. Dans sa longue tirade de la scène 1, Sganarelle dit pourquoi il aime « son » métier de médecin. Que pensez-vous des « avantages » qu'il cite ?

11. Que pensez-vous de la « consultation » donnée par Sganarelle ? Comparez-la avec celle de la scène 4 de l'acte II.

12. Que pensez-vous de la dernière réplique de la scène 2 ?

13. Diriez-vous que, par l'intermédiaire de Sganarelle, Molière :

a) fait l'éloge de la médecine ?

b) fait une satire de la médecine ?

14. Quel nouveau et grave reproche Molière fait-il aux médecins par l'intermédiaire de ces deux scènes ?

La fonction des deux scènes

15. Quelle est, de ces deux scènes, la plus importante ? Justifiez votre réponse.

Lire l'image

16) Décrivez les costumes des personnages représentés dans la gravure, page 81.

costume des paysans	costume du seigneur
....	....
....	....
....	....
....	....
....	....
....	....
....	....

Mise en scène

17) Si vous étiez metteur en scène, quels conseils donneriez-vous aux acteurs pour que soit bien mis en évidence le contraste entre l'assurance de Sganarelle et la gaucherie de Thibaut et Perrin ?

SCÈNE 3

JACQUELINE, SGANARELLE, LUCAS

1 SGANARELLE – Voici la belle Nourrice. Ah! Nourrice de mon cœur, je suis ravi de cette rencontre, et votre vue est la rhubarbe, la casse et le séné[1] qui purgent toute la mélancolie de mon âme.

5 JACQUELINE – Par ma figué[2]! Monsieu le Médecin, ça est trop bian dit pour moi, et je n'entends rien à tout votte latin.

SGANARELLE – Devenez malade, Nourrice, je vous prie; devenez malade, pour l'amour de moi : j'aurais toutes les joies du monde de vous guérir.

10 JACQUELINE – Je sis votte sarvante : j'aime bian mieux qu'an ne me guérisse pas.

SGANARELLE – Que je vous plains, belle Nourrice, d'avoir un mari jaloux et fâcheux[3] comme celui que vous avez!

JACQUELINE – Que velez-vous, Monsieu? c'est pour la pénitence de mes fautes; et là où la chèvre est liée, il faut bian qu'alle y broute.

15

SGANARELLE – Comment? un rustre[4] comme cela! un homme qui vous observe toujours, et ne veut pas que personne vous parle!

20 JACQUELINE – Hélas! vous n'avez rien vu encore, et ce n'est qu'un petit échantillon de sa mauvaise humeur.

SGANARELLE – Est-il possible? et qu'un homme ait l'âme assez basse pour maltraiter une personne comme vous? Ah! que j'en sais[5], belle Nourrice, et qui ne sont pas loin d'ici, qui se tiendraient heureux de baiser seulement les petits bouts de vos

25

Notes

1. la rhubarbe, la casse et le séné : trois plantes purgatives très utilisées à l'époque de Molière.
2. Par ma figué : par ma figure.
3. fâcheux : gênant, désagréable.
4. un rustre : un homme grossier.
5. j'en sais : j'en connais.

petons[1]! Pourquoi faut-il qu'une personne si bien faite soit tombée en de telles mains, et qu'un franc animal, un brutal, un stupide, un sot... ? Pardonnez-moi, Nourrice, si je parle ainsi de votre mari.

30 JACQUELINE – Eh ! Monsieu, je sais bian qu'il mérite tous ces noms-là.

SGANARELLE – Oui, sans doute, Nourrice, il les mérite ; et il mériterait encore que vous lui missiez quelque chose sur la tête[2], pour le punir des soupçons qu'il a.

35 JACQUELINE – Il est bian vrai que si je n'avais devant les yeux que son intérêt, il pourrait m'obliger à queuque étrange chose[3].

SGANARELLE – Ma foi ! vous ne feriez pas mal de vous venger de lui avec quelqu'un. C'est un homme, je vous le dis, qui mérite bien cela ; si j'étais assez heureux, belle Nourrice, pour être

40 choisi pour...

(En cet endroit, tous deux apercevant Lucas qui était derrière eux et entendait leur dialogue, chacun se retire de son côté, mais le Médecin d'une manière fort plaisante.)

SCÈNE 4

GÉRONTE, LUCAS

1 GÉRONTE – Holà ! Lucas, n'as-tu point vu ici notre médecin ?

LUCAS – Et oui, de par tous les diantres[4], je l'ai vu, et ma femme aussi.

GÉRONTE – Où est-ce donc qu'il peut être ?

Notes

1. **vos petons** : vos petits pieds.
2. **quelque chose sur la tête** : une corne (comme aux maris trompés).
3. **queuque étrange chose** : quelque étrange chose.
4. **par tous les diantres** : par tous les diables.

5 LUCAS – Je ne sais ; mais je voudrais qu'il fût à tous les guèbles[1].

GÉRONTE – Va-t'en voir un peu ce que fait ma fille.

SCÈNE 5

SGANARELLE, LÉANDRE, GÉRONTE

1 GÉRONTE – Ah ! Monsieur, je demandais où vous étiez.

SGANARELLE – Je m'étais amusé dans votre cour à expulser le superflu de la boisson. Comment se porte la malade ?

GÉRONTE – Un peu plus mal depuis votre remède.

5 SGANARELLE – Tant mieux : c'est signe qu'il opère.

GÉRONTE – Oui ; mais, en opérant, je crains qu'il ne l'étouffe.

SGANARELLE – Ne vous mettez pas en peine ; j'ai des remèdes qui se moquent de tout, et je l'attends à l'agonie.

GÉRONTE – Qui est cet homme-là que vous amenez ?

10 SGANARELLE, *faisant des signes avec la main que c'est un apothicaire*[2]. – C'est...

GÉRONTE – Quoi ?

SGANARELLE – Celui...

GÉRONTE – Eh ?

15 SGANARELLE – Qui...

GÉRONTE – Je vous entends.

SGANARELLE – Votre fille en aura besoin.

Notes

1. **à tous les guèbles** : à tous les diables.
2. **faisant des signes avec la main que c'est un apothicaire** : faisant le geste de donner un lavement (les apothicaires les administraient eux-mêmes).

Mlle Bretty (Jacqueline), M. Dux (Lucas) et M. Buinot (Sganarelle), mise en scène de Jean Meyer, Comédie-Française (1936).

Au fil du texte

Questions sur l'acte III, scènes 3 à 5 (pages 85 à 87)

Que s'est-il passé entre-temps ?

1. L'action se passe-t-elle dans le même lieu que la scène précédente ? Précisez.

Avez-vous bien lu ?

2. Que fait Sganarelle au début de la scène 3 ?
3. Dans quelle scène avait-il fait la même tentative ?
4. S'y prend-il de la même façon ?
5. Quelle est maintenant sa stratégie ?
6. Recopiez la partie de la didascalie qui clôt la scène 3 et qui vous semble importante pour la suite de l'action.
7. Que pensez-vous des deux répliques de Sganarelle dans la scène 5, lignes 5 et 7 ?

Le langage de Sganarelle

8. Expliquez la réplique de Sganarelle dans la scène 5 : « *Je m'étais amusé* [...] *à expulser le superflu de la boisson.* » À quel niveau de langue (familier, courant, soutenu) appartient-elle ?
9. Quel langage utilise Sganarelle pour séduire Jacqueline dans la scène 3 ?
10. A-t-il du succès ?
11. À quel autre type de langage fait-il alors appel ?

12. D'après vous, lequel de ces deux mots qualifie le mieux la réplique de la question 8 ?

a) Réaliste.

b) Poétique.

(Cherchez dans le dictionnaire, si nécessaire, le mot « réaliste ».)

Un thème : la vengeance

13. Quel mot employé par Sganarelle, dans la dernière réplique de la scène 3, nous rappelle Martine et le début de la pièce ?

14. Comparez Martine et Jacqueline. En quoi leur sort est-il commun ?

15. Après avoir relu la question 6, complétez la phrase suivante :
Le spectateur peut maintenant penser que c'est plutôt .... qui va chercher à se .... de ....
D'ailleurs la réplique « .... » de la scène 4 semble bien le confirmer.

La place et la fonction des scènes 4 et 5

16. Quelle est l'importance de la scène 4 pour l'action ?
Relisez la question 6 pour vous aider à répondre.

17. Quel sens peut-on donner à la dernière réplique de la scène 5 : *« Votre fille en aura besoin »*, pour Géronte ? pour le spectateur ?

À vos plumes !

18. Rédigez un petit paragraphe dans lequel vous expliquerez comment vous vous y prendriez pour faire une déclaration d'amour.

Lire l'image

19. Commentez l'expression des visages de Sganarelle et de Jacqueline sur la photo de la page 88.

20 Quelles autres remarques pouvez-vous faire à propos de cette image (costumes, attitudes, position des personnages) ?

Mise en scène

21 Comment interpréteriez-vous les didascalies de la fin de la scène 3 : *« le Médecin d'une manière fort plaisante »*, et de la scène 5 : *« faisant des signes* [...] *que c'est un apothicaire »* ?

SCÈNE 6

JACQUELINE, LUCINDE, GÉRONTE, LÉANDRE, SGANARELLE

1 JACQUELINE – Monsieu, velà votre fille qui veut un peu marcher.

SGANARELLE – Cela lui fera du bien. Allez-vous-en, Monsieur l'Apothicaire, tâter un peu son pouls, afin que je raisonne
5 tantôt avec vous de sa maladie.

En cet endroit, il tire Géronte à un bout du théâtre, et, lui passant un bras sur les épaules, lui rabat la main sous le menton, avec laquelle il le fait retourner vers lui, lorsqu'il veut regarder ce que sa fille et l'apothicaire font ensemble, lui tenant cependant le discours suivant pour
10 *l'amuser*[1] *:*

Monsieur, c'est une grande et subtile question entre les doctes[2], de savoir si les femmes sont plus faciles à guérir que les hommes. Je vous prie d'écouter ceci, s'il vous plaît. Les uns disent que non, les autres disent que oui ; et moi je dis que
15 oui et non : d'autant que l'incongruité[3] des humeurs[4] opaques qui se rencontrent au tempérament[5] naturel des femmes étant cause que la partie brutale[6] veut toujours prendre empire sur la sensitive[7], on voit que l'inégalité de leurs opinions dépend du mouvement oblique du cercle de la lune ; et comme le soleil,
20 qui darde[8] ses rayons sur la concavité[9] de la terre, trouve…

1. **pour l'amuser** : pour l'occuper.
2. **les doctes** : les savants.
3. **incongruité** : caractère de ce qui n'est pas convenable.
4. **humeurs** : substances liquides.
5. **au tempérament** : dans le tempérament.
6. **la partie brutale** : la partie animale.
7. **la sensitive** : la partie élevée, sensible, spirituelle.
8. **darde** : lance.
9. **concavité** : partie creuse.

LUCINDE – Non, je ne suis point du tout capable de changer de sentiments.

GÉRONTE – Voilà ma fille qui parle ! Ô grande vertu du remède ! Ô admirable médecin ! Que je vous suis obligé, Monsieur, de 25 cette guérison merveilleuse ! et que puis-je faire pour vous après un tel service ?

SGANARELLE, *se promenant sur le théâtre, et s'essuyant le front.* – Voilà une maladie qui m'a bien donné de la peine !

LUCINDE – Oui, mon père, j'ai recouvré la parole ; mais je l'ai 30 recouvrée pour vous dire que je n'aurai jamais d'autre époux que Léandre, et que c'est inutilement que vous voulez me donner Horace.

GÉRONTE – Mais…

LUCINDE – Rien n'est capable d'ébranler la résolution que j'ai 35 prise.

GÉRONTE – Quoi… ?

LUCINDE – Vous m'opposerez en vain de belles raisons.

GÉRONTE – Si…

LUCINDE – Tous vos discours ne serviront de rien.

40 GÉRONTE – Je…

LUCINDE – C'est une chose où je suis déterminée.

GÉRONTE – Mais…

LUCINDE – Il n'est puissance paternelle qui me puisse obliger à me marier malgré moi.

45 GÉRONTE – J'ai…

LUCINDE – Vous avez beau faire tous vos efforts.

GÉRONTE – Il…

LUCINDE – Mon cœur ne saurait se soumettre à cette tyrannie.

GÉRONTE – Là…

50 LUCINDE – Et je me jetterai plutôt dans un convent[1] que d'épouser un homme que je n'aime point.

GÉRONTE – Mais…

LUCINDE, *parlant d'un ton de voix à étourdir.* – Non. En aucune façon. Point d'affaire[2]. Vous perdez le temps. Je n'en ferai rien.
55 Cela est résolu.

GÉRONTE – Ah ! quelle impétuosité de paroles ! Il n'y a pas moyen d'y résister. Monsieur, je vous prie de la faire redevenir muette.

SGANARELLE – C'est une chose qui m'est impossible. Tout ce
60 que je puis faire pour votre service est de vous rendre sourd, si vous voulez.

GÉRONTE – Je vous remercie. Penses-tu donc…

LUCINDE – Non. Toutes vos raisons ne gagneront rien sur mon âme.

65 GÉRONTE – Tu épouseras Horace, dès ce soir.

LUCINDE – J'épouserai plutôt la mort.

SGANARELLE – Mon Dieu ! arrêtez-vous, laissez-moi médicamenter cette affaire. C'est une maladie qui la tient, et je sais le remède qu'il y faut apporter.

70 GÉRONTE – Serait-il possible, Monsieur, que vous pussiez aussi guérir cette maladie d'esprit ?

SGANARELLE – Oui : laissez-moi faire, j'ai des remèdes pour tout, et notre apothicaire nous servira pour cette cure. *(Il appelle l'Apothicaire et lui parle.)* Un mot. Vous voyez que l'ar-
75 deur qu'elle a pour ce Léandre est tout à fait contraire aux volontés du père, qu'il n'y a point de temps à perdre, que les humeurs sont fort aigries, et qu'il est nécessaire de trouver promptement un remède à ce mal, qui pourrait empirer par le retardement. Pour moi, je n'y en vois qu'un seul, qui est une

Notes

1. **convent :** couvent.

2. **Point d'affaire :** il n'y a rien à faire.

80 prise de fuite purgative, que vous mêlerez comme il faut avec deux drachmes[1] de matrimonium[2] en pilules. Peut-être fera-t-elle quelque difficulté à prendre ce remède ; mais, comme vous êtes habile homme dans votre métier, c'est à vous de l'y résoudre, et de lui faire avaler la chose du mieux que vous
85 pourrez. Allez-vous-en lui faire faire un petit tour de jardin, afin de préparer les humeurs, tandis que j'entretiendrai ici son père ; mais surtout ne perdez point de temps : au remède, vite, au remède spécifique[3] !

Notes

1. **drachmes** : mesure grecque. Unité de poids et de monnaie (en pharmacie la huitième partie de l'once : 3,24 g).

2. **matrimonium** : mariage (en latin).

3. **spécifique** : approprié, adapté.

Au fil du texte

Questions sur l'acte III, scène 6 (pages 92 à 95)

Avez-vous bien lu ?

1. Quels personnages viennent d'arriver sur la scène ?
2. Par quelle réplique Molière justifie-t-il cette entrée ?
3. Quels personnages voyons-nous réunis sur scène pour la première fois ? Pourquoi est-ce la première fois ?
4. Quel stratagème a permis cette rencontre ?
5. Sganarelle tient-il la promesse qu'il avait faite à Léandre de l'aider ? Est-il efficace ? Justifiez votre réponse.

Un thème : la médecine

6. Relevez le champ lexical* de la médecine.
7. Qu'est-ce qu'un « apothicaire » ?

*** *champ lexical* : ensemble des mots se rapportant à une même notion.**

La place de Sganarelle

Le personnage de Sganarelle

Bûcheron dans *Le Médecin malgré lui* ou valet dans *Dom Juan*, Sganarelle est un personnage essentiel chez Molière, qui, en général, tient ce rôle inspiré des valets de la comédie italienne. Sganarelle ne serait-il pas, parfois, le porte-parole de l'auteur ?

8. La dernière tirade de Sganarelle a une double signification. Expliquez-la :

   a) en fonction de ce que doit comprendre Géronte ;

   b) en fonction de ce que doivent comprendre les spectateurs, Léandre et Lucinde.

9) Quelles remarques pouvez-vous faire sur la parole que Molière accorde à Sganarelle dans cette scène (place, volume…)? Qu'en déduisez-vous?

Un genre : le théâtre

Le vocabulaire du théâtre

– **Didascalie** : indication donnée par l'auteur de la pièce et destinée au metteur en scène et aux comédiens.
– **Coup de théâtre** : événement inattendu qui, à la fin d'une pièce de théâtre, permet le dénouement.

10) Quelle est l'utilité de la longue didascalie des lignes 6 à 10?

11) Quel coup de théâtre se produit dans cette scène?

Le personnage de Géronte

12) Relevez un exemple d'apostrophe* dans les répliques de Géronte. Quel est l'effet produit?

13) Comment Géronte s'exprime-t-il quand il essaie de répondre à Lucinde?

a) Par des phrases.

b) Par des expressions plus ou moins longues.

c) Par des monosyllabes.

*** apostrophe : procédé de style par lequel on invoque ou on interpelle avec admiration, étonnement, douleur ou surprise une personne, une chose ou un élément personnifié. Ex. : *« Ô temps, suspends ton vol ! »* (« Le lac », Lamartine).**

Le comique

14) Pourquoi le personnage de Lucinde était-il comique dans la scène 4 de l'acte II?

15) Pourquoi l'est-il maintenant dans la scène 6 de l'acte III? Pour répondre, aidez-vous de la didascalie de la ligne 53.

À vos plumes !

16 Écrivez un petit dialogue dans lequel vous montrerez les vaines tentatives que fait un personnage pour essayer de prendre la parole. Vous rédigerez une phrase d'introduction qui précisera la situation de communication (où ? quand ? qui parle ? à qui ? pourquoi ?).

Mise en scène

17 Jacqueline ne dit qu'une réplique au début de la scène. Où et comment la feriez-vous se tenir tout au long de la scène (attitudes, expressions, gestes, déplacements éventuels) ?

SCÈNE 7

GÉRONTE, SGANARELLE

1 GÉRONTE – Quelles drogues, Monsieur, sont celles que vous venez de dire? il me semble que je ne les ai jamais ouï[1] nommer.

SGANARELLE – Ce sont drogues dont on se sert dans les nécessités urgentes.

GÉRONTE – Avez-vous jamais vu une insolence pareille à la sienne?

SGANARELLE – Les filles sont quelquefois un peu têtues.

GÉRONTE – Vous ne sauriez croire comme elle est affolée[2] de ce Léandre.

SGANARELLE – La chaleur du sang fait cela dans les jeunes esprits.

GÉRONTE – Pour moi, dès que j'ai eu découvert la violence de cet amour, j'ai su tenir toujours ma fille renfermée.

SGANARELLE – Vous avez fait sagement.

15 GÉRONTE – Et j'ai bien empêché qu'ils n'aient eu communication ensemble.

SGANARELLE – Fort bien.

GÉRONTE – Il serait arrivé quelque folie, si j'avais souffert[3] qu'ils se fussent vus.

20 SGANARELLE – Sans doute.

GÉRONTE – Et je crois qu'elle aurait été fille à s'en aller avec lui.

SGANARELLE – C'est prudemment raisonné.

GÉRONTE – On m'avertit qu'il fait tous ses efforts pour lui parler.

25 SGANARELLE – Quel drôle[4].

1. **ouï** : entendu.
2. **affolée** : follement amoureuse.
3. **souffert** : accepté, admis.
4. **drôle** : coquin.

GÉRONTE – Mais il perdra son temps.

SGANARELLE – Ah ! ah !

GÉRONTE – Et j'empêcherai bien qu'il ne la voie.

SGANARELLE – Il n'a pas affaire à un sot, et vous savez des
30 rubriques[1] qu'il ne sait pas. Plus fin que vous n'est pas bête.

SCÈNE 8

LUCAS, GÉRONTE, SGANARELLE

1 LUCAS – Ah ! palsanguenne, Monsieu, vaici bian[2] du tintamarre : votte fille s'en est enfuie avec son Liandre[3]. C'était lui qui était l'Apothicaire ; et velà Monsieu le Médecin qui a fait cette belle opération-là.

5 GÉRONTE – Comment ? m'assassiner de la façon ! Allons, un commissaire ! et qu'on empêche qu'il ne sorte. Ah, traître ! je vous ferai punir par la justice.

LUCAS – Ah ! par ma fi ! Monsieu le Médecin, vous serez pendu : ne bougez de là seulement.

SCÈNE 9

MARTINE, SGANARELLE, LUCAS

1 MARTINE – Ah ! mon Dieu ! que j'ai eu de peine à trouver ce logis ! Dites-moi un peu des nouvelles du médecin que je vous ai donné.

LUCAS – Le velà, qui va être pendu.

5 MARTINE – Quoi ? mon mari pendu ! Hélas ! et qu'a-t-il fait pour cela ?

Notes

1. **rubriques** : ruses.
2. **vaici bian** : voici bien.
3. **Liandre** : Léandre.

LUCAS – Il a fait enlever la fille de notte maître.

MARTINE – Hélas! mon cher mari, est-il bien vrai qu'on te va pendre?

10 SGANARELLE – Tu vois. Ah!

MARTINE – Faut-il que tu te laisses mourir en présence de tant de gens?

SGANARELLE – Que veux-tu que j'y fasse?

MARTINE – Encore si tu avais achevé de couper notre bois, je 15 prendrais quelque consolation.

SGANARELLE – Retire-toi de là, tu me fends le cœur.

MARTINE – Non, je veux demeurer pour t'encourager à la mort, et je ne te quitterai point que je ne t'aie vu pendu.

SGANARELLE – Ah!

SCÈNE 10

GÉRONTE, SGANARELLE, MARTINE, LUCAS

1 GÉRONTE – Le Commissaire viendra bientôt, et l'on s'en va vous mettre en lieu où l'on me répondra de vous.

SGANARELLE, *le chapeau à la main.* – Hélas! cela ne se peut-il point changer en quelques coups de bâton?

5 GÉRONTE – Non, non : la justice en ordonnera... Mais que vois-je?

Au fil du texte

Questions sur l'acte III, scènes 7 à 10 (pages 99 à 101)

Que s'est-il passé entre-temps ?

1. Que s'est-il passé entre les scènes 7 et 8 ?

Avez-vous bien lu ?

2. Qui donne l'alarme à Géronte à la scène 8 ? Pourquoi ?
3. Donnez trois adjectifs pour caractériser Géronte.
4. Quels sentiments respectifs Lucas et Géronte éprouvent-ils à la scène 8 ?
5. Quel sort est réservé à Sganarelle ?
6. Quelle est la réaction de celui-ci ?
7. Quel personnage retrouve-t-on à la scène 9 ?
8. Quels sont les deux personnages à s'être vengés de Sganarelle ?
9. Que pensez-vous de la dernière réplique de Martine dans la scène 9 ?

La scène de révélation (scène 8)

10. Que remarquez-vous concernant le personnage de Sganarelle à la scène 8 ?
11. Étudiez les marques de l'énonciation (temps, modes, pronoms, types des phrases) dans la réplique de Géronte dans la scène 8.
12. Quelle conclusion tirez-vous de cette observation ?

Un genre : la farce

Qu'est-ce qu'un genre littéraire ?

–Les genres littéraires regroupent des œuvres ayant des caractéristiques communes. Par exemple :
– le **roman** : long récit fictif;
– la **poésie** : œuvre remarquable pour le travail effectué sur le langage;
– le **théâtre** : texte destiné à être représenté. Le théâtre se subdivise lui-même en plusieurs genres, notamment la tragédie qui se finit mal, la farce et la comédie qui se terminent bien.

13. Que deviendrait la farce si la pièce s'arrêtait à la fin de la scène 8 ?

a) Un roman.

b) Une tragédie.

c) Une comédie.

d) Une poésie.
Pourquoi ?

14. Quelle transformation brutale subit la situation de Sganarelle entre la scène 7 et la scène 9 ?

À vos plumes !

15. Imaginez le procès de Sganarelle. Composez des équipes de trois. Répartissez-vous les rôles :
– Géronte : le plaignant qui requiert la pendaison;
– Sganarelle : la victime qui plaide sa cause;
– le juge qui rend la sentence.
Vous écrirez une petite scène dans laquelle chacun des personnages argumentera en fonction de son rôle et vous la jouerez à vos camarades.

SCÈNE 11 ET DERNIÈRE

LÉANDRE, LUCINDE, JACQUELINE, LUCAS, GÉRONTE, SGANARELLE, MARTINE

1 LÉANDRE – Monsieur, je viens faire paraître Léandre à vos yeux, et remettre Lucinde en votre pouvoir. Nous avons eu dessein[1] de prendre la fuite nous deux, et de nous aller marier ensemble; mais cette entreprise a fait place à un procédé plus 5 honnête. Je ne prétends point vous voler votre fille, et ce n'est que de votre main que je veux la recevoir. Ce que je vous dirai, Monsieur, c'est que je viens tout à l'heure[2] de recevoir des lettres par où j'apprends que mon oncle est mort, et que je suis héritier de tous ses biens.

10 GÉRONTE – Monsieur, votre vertu[3] m'est tout à fait considérable, et je vous donne ma fille avec la plus grande joie du monde.

SGANARELLE – La médecine l'a échappé belle!

MARTINE – Puisque tu ne seras point pendu, rends-moi grâce 15 d'être médecin; car c'est moi qui t'ai procuré cet honneur.

SGANARELLE – Oui, c'est toi qui m'as procuré je ne sais combien de coups de bâton.

LÉANDRE – L'effet[4] en est trop beau, pour en garder du ressentiment[5].

20 SGANARELLE – Soit : je te pardonne ces coups de bâton en faveur de la dignité où tu m'as élevé; mais prépare-toi désormais à vivre dans un grand respect avec un homme de ma conséquence[6], et songe que la colère d'un médecin est plus à craindre qu'on ne peut croire.

Notes

1. **dessein** : l'intention.
2. **tout à l'heure** : à l'instant.
3. **vertu** : mérite, valeur.
4. **l'effet** : la conséquence, le résultat.
5. **ressentiment** : rancune.
6. **conséquence** : importance.

Au fil du texte

Questions sur l'acte III, scène 11 (page 104)

Avez-vous bien lu ?

1. Pourquoi Géronte ne s'oppose-t-il plus au projet de Lucinde et de Léandre ?

2. Comment se termine la pièce pour le jeune couple ; pour le couple Sganarelle/Martine ?

3. Que pensez-vous de cette fin ?

4. Cette scène vous paraît-elle vraisemblable* ?

> * ***vraisemblable :*** **qui a l'apparence du vrai.**

Le dénouement d'une comédie

5. Quels personnages sont rassemblés sur scène ?

6. Combien sont-ils ?

7. Pourquoi sont-ils aussi nombreux ?

8. Classez-les en deux colonnes : ceux qui restent muets, ceux qui parlent.

9. Quel coup de théâtre* retourne la situation ?

10. Au théâtre, la résolution de l'intrigue se nomme :

a) nœud de l'action ;

b) dénouement ;

c) coup de théâtre ;

d) scène d'exposition.

> * ***coup de théâtre :*** **événement inattendu qui modifie le cours de l'histoire.**

À VOS PLUMES !

11. Imaginez un autre dénouement à la pièce sous la forme d'un petit récit qui commencera par :
Quand Géronte apprit que Sganarelle l'avait berné il jura de le faire pendre. Martine arriva sur ces entrefaites et…

12. Pensez-vous que Sganarelle aura changé après cette mésaventure ? Rédigez un texte de quelques lignes qui justifiera votre réponse. Vous utiliserez au moins une des répliques que Sganarelle prononce dans la dernière scène en la citant entre guillemets.

Retour sur l'œuvre

1 Vrai ou faux ?

	V	F
a) Sganarelle est vigneron.	❑	❑
b) Jacqueline est la femme de Thibaut.	❑	❑
c) Léandre se déguise en perroquet.	❑	❑
d) Géronte est un père qui ne veut que le bonheur de sa fille.	❑	❑
e) Léandre est le soupirant de Jacqueline qui est la sœur de Lucinde.	❑	❑
f) Lucinde est muette.	❑	❑
g) Lucinde fait semblant d'être muette.	❑	❑
h) La scène 3 de l'acte I est un monologue.	❑	❑
i) C'est Sganarelle qui le prononce.	❑	❑
j) Lucas est jaloux.	❑	❑
k) Léandre reçoit des coups de bâton.	❑	❑
l) L'acte I se passe chez Géronte.	❑	❑
m) Lucas s'exprime en patois.	❑	❑
n) Monsieur Robert vient au secours de Martine.	❑	❑
o) Sganarelle est un vrai médecin.	❑	❑
p) Sganarelle n'aime pas l'argent.	❑	❑

2 Les accessoires au théâtre
Faites la liste des objets qui vous semblent indispensables pour mettre cette pièce en scène, puis dessinez-les.

3 Argumentez oralement pour justifier vos choix de la question 2. (Dans quelle scène a-t-on besoin de tel ou tel accessoire ?)

4) Parmi ces trois hommes célèbres cités de façon fantaisiste par Sganarelle, un seul a été un grand médecin de l'Antiquité. Lequel ?

❑ Aristote ❑ Cicéron ❑ Hippocrate

5) **Devinettes**

Reportez-vous à la liste des personnages si nécessaire.

a) Il parle bien, il aime boire et courtiser les femmes. C'est ....

b) Elle est jeune et amoureuse. C'est ....

c) Elle ne peut plus supporter son mari et elle veut se venger. C'est ....

d) Ils sont mari et femme et vous ne les avez pas encore cités. Ce sont .... et ....

e) C'est un bourgeois ; il est crédule. C'est ....

f) Il se déguise dans la pièce. C'est ....

g) Ils cherchent un médecin pour la fille de leur maître. Ce sont .... et ....

h) Ils cherchent un médecin pour la mère de l'un d'entre eux. Ce sont .... et ....

6) Complétez les phrases suivantes en utilisant le mot entre parenthèses qui convient.

a) *Le Médecin malgré lui* est une .... (tragédie/comédie). C'est une .... (farce/blague).

b) Une farce est une pièce de théâtre qui se termine .... (bien/mal). Les personnages y reçoivent .... (des coups de bâton/des pouvoirs magiques)

c) Dans un acte, il y a .... (une scène/plusieurs scènes).

d) Pour écrire *Le Médecin malgré lui*, ... (Molière/Sganarelle) s'est inspiré d'un fabliau appelé .... (*Le Gentil Mire*/ *Le Vilain Mire*).

Dossier Bibliocollège

Le Médecin malgré lui

1 L'essentiel sur l'œuvre

La comédie en trois actes du *Médecin malgré lui* est jouée pour la première fois au Palais-Royal en août 1666. Molière y tient le rôle de Sganarelle.

Après *Dom Juan* qu'il faut interrompre car la pièce fait scandale, et *Le Misanthrope* qui est mal accueilli par le public, Molière est affaibli. Heureusement, *Le Médecin malgré lui* est un triomphe : la pièce sera représentée 52 fois du vivant de son auteur.

Le Médecin malgré lui

Molière plaît à son public en variant les procédés comiques. Il s'inspire notamment de la comédie antique, du théâtre italien appelé *commedia dell'arte* et des œuvres du Moyen Âge telles le fabliau du *Vilain Mire* à l'origine du *Médecin malgré lui*.

Reprenant le schéma de la comédie latine selon lequel un père ne veut pas que sa fille épouse le jeune homme qu'elle aime, Molière dénonce l'ignorance des médecins de son temps, la priorité accordée à l'argent et l'autorité abusive des pères.

2 La pièce en un coup d'œil

Exposition

Martine veut se venger de son mari Sganarelle, un bûcheron violent et alcoolique (I, 1 à 3).
Valère et Lucas sont à la recherche d'un médecin qui pourrait guérir Lucinde la fille de leur maître Géronte (I, 4).

Péripéties (actions)

- Martine raconte à Valère et Lucas que Sganarelle avoue être un médecin de génie quand on le bat (I, 4). Sganarelle, « médecin malgré lui » (I, 5), se rend chez Géronte.
- Sganarelle s'intéresse à la femme de Lucas, Jacqueline (II, 2 et 3).

Longue scène de consultation au centre de la pièce : Sganarelle examine Lucinde (II, 4).

- Léandre explique à Sganarelle que Lucinde fait semblant d'être muette et lui demande son aide (II, 5 et III, 1).
- Sganarelle tente de séduire Jacqueline, sans voir que Lucas les observe (III, 3). Lucas voudra se venger.
- Sganarelle fait passer Léandre pour un apothicaire (pharmacien) auprès de Géronte (III, 5).
- Lucinde retrouve la parole pour crier qu'elle n'épousera jamais Horace (III, 6).
- Lucas vient dire que Lucinde a fui avec Léandre et que c'est Sganarelle le responsable (III, 8).

Dénouement

Coup de théâtre : Léandre et Lucinde reviennent car Léandre a hérité de son oncle (III, 11).
Situation finale : Géronte accepte Léandre comme gendre et pardonne à Sganarelle qui décide de continuer à exercer la médecine.

3 Le monde de Molière

Un roi absolu

Louis XIV règne en **roi absolu**, sans Premier ministre, de 1661 à 1715. L'aristocratie n'a plus de pouvoir; les grands (les nobles) deviennent des **courtisans** qui participent à la vie fastueuse de Versailles et attendent des rentes de la part du roi.

Le prestige de la France

Les constructions (le château de Versailles et ses jardins) et les fêtes font de la France un **modèle européen** que d'autres monarques vont imiter. La France rayonne, mais elle est **ruinée**.

UNE MONARCHIE ABSOLUE

Louis XIV et le classicisme

En aménageant son domaine de Versailles, Louis XIV impose le **classicisme**, une esthétique caractérisée par la simplicité et l'ordre.

Louis XIV et le théâtre

L'autorité du roi s'exerce aussi sur les idées : il **décide de ce qui peut être écrit ou joué** sur scène. Ainsi c'est lui qui confie à Molière le théâtre du Petit-Bourbon, en 1658, puis celui du Palais-Royal, en 1661. Mais c'est lui également qui interdira *Le Tartuffe* en 1664 et chassera de Paris, en 1697, les comédiens italiens, jugés trop divertissants.

LE CONTEXTE ARTISTIQUE

Un courant européen : le baroque

Le baroque domine en Europe jusqu'à la seconde moitié du XVIIIe siècle. Il se caractérise par la **richesse** des décors, l'importance des miroirs, des masques et des **trompe-l'œil**.

Un courant français : le classicisme

Le classicisme, soutenu par Louis XIV, est, lui, un courant spécifiquement français. S'inspirant de l'**Antiquité**, il recommande l'**équilibre** et la **rigueur**. Les architectes Mansart et Le Vau suivent ce modèle pour la création du château de Versailles et Le Nôtre pour les jardins dits « à la française ». En 1674, Boileau fixera les règles de la littérature classique dans son *Art poétique*.

L'âge d'or du théâtre

Reprenant les modèles antiques, les **tragédies** expriment la misère de l'homme face à un destin qui le dépasse. En vers et en cinq actes, elles forment le genre littéraire le plus prestigieux. Pierre **Corneille** et Jean **Racine** y excellent. La **comédie**, d'inspiration plus populaire, sera considérée, jusqu'à la fin du XVIIIe siècle, comme un genre secondaire. **Molière** est son auteur le plus célèbre.

ÊTRE COMÉDIEN AU XVIIe SIÈCLE

Une vie difficile

Les comédiens appartiennent à des troupes et leur vie est difficile. Si Molière connaît un grand succès, son existence n'en demeure pas moins mouvementée. Pour survivre, un auteur doit savoir échapper à la **censure**, affronter les **jalousies** et séduire un **public souvent agité**.

Le rejet de l'Église

Le mensonge et le divertissement étant leur métier, les comédiens sont **excommuniés**, c'est-à-dire exclus de la religion catholique. Les sacrements leur sont refusés et c'est pour cette raison que les funérailles de Molière auront lieu discrètement, de nuit.

Jouer devant une salle éclairée

Du temps de Molière, les pièces de théâtre sont jouées dans des conditions bien différentes de celles que nous connaissons aujourd'hui. La **salle reste éclairée** durant tout le spectacle et les chandelles produisent une **fumée désagréable**.

Jouer devant un public facilement distrait

Le théâtre réunit différentes classes sociales. En bas, au **parterre**, les spectateurs sont debout. Dans les **loges**, sur les côtés, les personnes de condition plus élevée poursuivent les conversations entamées dans les salons. Certains spectateurs importants sont installés **sur la scène même**, de chaque côté.

LES DIFFÉRENTES TROUPES À L'ÉPOQUE DE MOLIÈRE

Les comédiens italiens à Paris

Depuis la fin du XVIe siècle, les comédiens italiens obtiennent un grand succès à Paris. Leur théâtre très codifié (la *commedia dell'arte*) met en scène des **personnages types**, qui ne changent pas d'une pièce à l'autre : Dottore le pédant, Pantalon l'avare, ainsi que les *zanni* (les valets) Arlequin, Scapin et Polichinelle. L'intrigue est réduite à un schéma (le *scenario*) et **les acteurs improvisent**, brodent sur ce canevas en ajoutant toutes les acrobaties (les *lazzis*, c'est-à-dire les jeux de scène) qui correspondent à leur rôle.

Avant Molière : deux troupes officielles

Quand Molière arrive à Paris, après une vie de comédien itinérant en province, deux troupes officielles cohabitent : celle de l'**Hôtel de Bourgogne** (les Grands Comédiens), subventionnée par le roi, et celle, non subventionnée, du **Marais** (les Petits Comédiens).

Vers la Comédie-Française

En **1658**, le roi accorde à Molière une salle, puis, en 1665, une rente annuelle est versée à sa troupe.
En **1680**, sept ans après le décès de Molière, Louis XIV décide de fusionner les trois troupes de l'hôtel de Bourgogne, du Marais et de Molière : la **Comédie-Française** est née. Elle continue de jouer aujourd'hui le répertoire classique.

La Comédie-Française… (hier)

La Comédie-Française… (aujourd'hui)

4 De la farce à la comédie

En marge des grandes comédies plus sérieuses, *Le Médecin malgré lui*, est une petite pièce dans laquelle on approche sans peine le talent de Molière et la façon dont il associe les genres de la farce et de la comédie.

I – Une farce

➡ Les deux facettes du théâtre au Moyen-Âge

Au Moyen-Âge, la lecture est réservée à une élite. Pour rassembler les gens autour de la religion, il faut donc raconter oralement les moments de la vie de Jésus ou des saints, les représenter sur le fronton ou les chapiteaux des églises ou bien encore les jouer sur des tréteaux. Les **Mystères** sont des pièces religieuses représentées pour instruire un public illettré. À l'occasion de leur représentation, des intermèdes comiques viennent divertir les spectateurs : ce sont les **farces.**

À RETENIR
Les Mystères et les farces sont les deux sortes de pièces de théâtre au Moyen-Âge.

➡ Les ressources de la farce

Les farces provoquent le rire avec des pitreries, des acrobaties et un comique grossier.

À RETENIR
Le comique de la farce est grossier.

Le comique de la farce	*Le Médecin malgré lui*
Nombreux jeux de scène (gestes, mouvements)	**Le jeu de scène autour de la bouteille de Sganarelle (I, 5)**
Allusions sexuelles	**Sganarelle s'intéresse aux seins de la nourrice : «** ***il lui porte la main sur le sein*** **» (II, 2)**
Allusions scatologiques (urine ou selles)	***« Va-t-elle où vous savez ? », « La matière est-elle louable ? »*** **(II, 4)**

➡ Le public de Molière

Avant de jouer à Paris, notamment dans le théâtre du Palais-Royal que lui accorde Louis XIV, la troupe de Molière est itinérante. Elle installe ses tréteaux sur les places et son public est essentiellement populaire. Pour le toucher, Molière reprend les intrigues et les procédés comiques de la farce. *Le Médecin malgré lui* s'inspire d'ailleurs du fabliau médiéval *Le Vilain Mire*.

À Paris, le public est plus varié et Molière s'efforce de faire rire tout le monde. Dans les théâtres construits à l'italienne (de forme ovale ou en U), tandis que les nobles et les bourgeois sont confortablement installés dans les loges ou sur les côtés de la scène, la foule se tient debout dans la salle : c'est le parterre. En puisant dans les ressources de la farce, Molière déclenche aisément le rire contagieux de ce public populaire.

Mais, pour plaire aux spectateurs plus cultivés, il lui faut aussi s'inspirer de la comédie antique.

À RETENIR

La salle de théâtre à l'italienne fait son apparition au XVIe siècle en Italie et se répand en Europe. En général, elle comprend plusieurs étages et la scène est surélevée par rapport au parterre.

II – Une pièce à la manière des Italiens

➡ Molière et le théâtre italien

La troupe des Italiens, très admirée par Molière, est installée depuis le XVIe siècle à Paris où elle attire de nombreux spectateurs. À partir de 1662, Molière et les comédiens italiens se partagent le théâtre du Palais-Royal en jouant en alternance. C'est sur cette scène que *Le Médecin malgré lui* a été représenté 32 fois en 1665.

À RETENIR

Les comédiens italiens jouent à Paris depuis le XVIe siècle.

➡ Les caractéristiques de la *commedia dell'arte*

La troupe des Italiens affectionne un genre particulier : la *commedia dell'arte*. Elle reprend les intrigues de la comédie antique en accentuant le comique

À RETENIR

La *commedia dell'arte* se caractérise par un *scenario*, des personnages-types, des acrobaties et des improvisations.

grâce aux *lazzis* (les acrobaties) et à l'improvisation des acteurs. Les répliques ne sont pas entièrement rédigées; seule la structure de la pièce, appelée *scenario*, est fixée : les comédiens, incarnant des personnages-types, brodent sur ce canevas et n'hésitent pas à faire participer les spectateurs.

Molière, qui reproche aux comédiens réputés de l'Hôtel de Bourgogne (la troupe protégée par le roi lui-même) leur diction artificielle, emprunte aux Italiens la souplesse et le naturel des dialogues, voire l'improvisation.
En 1668, le célèbre monologue d'Harpagon dans *L'Avare*, invitant le public à réagir, montre clairement l'influence de la *commedia dell'arte*.

Dominique dans le rôle d'Arlequin. Gravure de Prud'Hon, d'après un dessin de Cœuré.

III – Une comédie

➥ Le théâtre grec : tragédie et comédie

Le théâtre se développe en Grèce au Ve siècle av. J.-C. Les comédiens, portant des masques, jouent les grandes histoires de la mythologie et montrent comment les hommes tentent d'échapper à l'emprise des dieux. La **tragédie** est née et sa violence est telle qu'il faut détendre les spectateurs en leur proposant aussi des pièces amusantes : ce sont les **comédies**.
Ces deux sous-genres théâtraux opposés sont joués lors des fêtes de la cité, notamment les Panathénées à Athènes.

À RETENIR
Dans l'Antiquité, la comédie, destinée à détendre le public, s'oppose à la tragédie qui cherche à émouvoir et effrayer.

Les littératures latine puis française s'inspirent de ces modèles grecs.

Tragédie	Comédie
Les personnages	
Des personnages de haut rang souvent présentés comme des modèles à suivre.	Des personnages ordinaires, voire médiocres, dont on peut se moquer.
L'intrigue	
Les intrigues sont liées au pouvoir politique ou à l'autorité des dieux.	L'intrigue se situe dans un milieu familial et il est question d'un mariage.
Le dénouement	
Un dénouement malheureux : les personnages meurent le plus souvent.	Un dénouement heureux : les jeunes gens qui s'aiment se marient.

➥ ***Le Médecin malgré lui*** **: un exemple de comédie selon Molière**

La comédie	*Le Médecin malgré lui*
Le problème de l'intrigue	
Un père ne veut pas que son fils ou sa fille épouse celui ou celle qu'elle aime.	Géronte ne veut pas que sa fille Lucinde épouse Léandre qu'elle aime. Il a décidé de la marier à Horace, un prétendant fortuné.
Les péripéties	
Ruses et déguisements s'enchaînent pour rapprocher les jeunes gens qui s'aiment.	Lucinde fait semblant d'être muette et Léandre obtient de Sganarelle, un bûcheron déguisé en médecin, qu'il agisse en faveur de son amour.
Le dénouement	
Grâce à un coup de théâtre (événement inattendu), les amoureux peuvent se marier.	Comme Léandre vient d'hériter de son oncle, Géronte l'accepte pour gendre.

Les personnages	
Le barbon : un vieillard naïf, égoïste et avare.	**Géronte : son nom signifie « vieux » ; il ne tient pas compte des sentiments de sa fille.**
Les jeunes gens amoureux.	**Léandre et Lucinde.**
Un valet (ou une servante) débrouillard(e).	**Sganarelle n'est pas un valet mais un bûcheron ; il est rusé.**

La satire

Dès l'Antiquité, on confie à la comédie une fonction satirique : la devise latine *Castigat ridendo mores* signifie « qu'elle corrige les comportements en faisant rire ».

En imaginant Géronte, Molière ridiculise les pères égoïstes qui ne s'inquiètent pas du bonheur de leurs enfants et exercent une autorité abusive.

De façon plus fine, il dénonce les prétentions des médecins qui ne cherchent ni à expliquer (un latin incompréhensible) ni à soigner mais à se faire admirer. Il s'en prend aussi au pouvoir de l'argent : Sganarelle accepte de se faire passer pour un médecin quand Valère dit *« vous gagnerez ce que vous voudrez »*. Plus tard, c'est la bourse que lui tend Léandre qui l'amène à se mettre au service du jeune amoureux. Quant à Géronte, il trouve les qualités de Léandre *« tout à fait considérable[s] »* quand il apprend que ce dernier est désormais riche.

À RETENIR

La satire consiste à critiquer en faisant rire, c'est-à-dire en se moquant. Les comédies de Molière sont satiriques.

Ainsi, en puisant son inspiration dans la farce médiévale, dans la *commedia dell'arte* et dans le genre respecté de la comédie antique, Molière, jusqu'à aujourd'hui, parvient à toucher un large public.

Comédiens français au XVIIe siècle.

5 Ruses, mensonges et masques

Géronte est un barbon, c'est-à-dire un père autoritaire, avare et égoïste. Dans la société du XVIIe siècle, la loi du plus fort règne et seule la ruse permettra à Lucinde d'échapper au mariage décidé par son père : c'est un faux médecin en effet qui soigne la fausse malade et prépare le départ des deux amoureux tandis que Géronte ne comprend rien à la *« fuite purgative »* prescrite en urgence par Sganarelle.
Chez Molière, la ruse amuse et permet de contourner la force. Quand on ne peut ni dialoguer, ni lutter, il faut recourir aux mensonges et aux masques.
Mais ce que l'on observe dans les farces ou les comédies se décline aussi dans d'autres genres et d'autres registres, comme le montrent les textes de notre groupement.
Ainsi la ruse est au cœur d'un épisode crucial d'une des plus grandes œuvres de la littérature occidentale, l'*Odyssée* d'Homère : n'est-ce pas en rusant que le « subtil Ulysse » triomphe du cruel cyclope Polyphème ?
Dans les contes aussi, la ruse arme les personnages faibles tels le Chat Botté ou le Petit Poucet. Souvent au service des puissants dans les fables et les romans, il arrive toutefois, pour notre plus grand bonheur, que la ruse se retourne contre les forts, comme dans « Le Renard ou la Cigogne » ou *Le Hobbit* de Tolkien.

1 Homère, *Odyssée*, Chant IX

Dans l'*Odyssée*, Homère raconte le retour d'Ulysse après la guerre de Troie. Au roi Alkinoos qui va lui permettre de regagner enfin Ithaque, le héros fait le récit de ses aventures, notamment celle chez le cyclope Polyphème.
Enfermés dans la grotte du géant, Ulysse et ses compagnons, qui projettent de crever l'œil du monstre pour sortir sans être vus, ont commencé à lui faire boire du vin.

> *Le doux breuvage*[1] *lui plut tellement qu'il en réclama :*
> "Sois gentil, donne-m'en encore, et puis dis-moi ton nom : je te ferai plaisir en t'offrant un cadeau d'hospitalité[2]. La vigne qui pousse sur la terre à blé des Cyclopes produit de belles grappes de raisin, grossies par la pluie de Zeus[3] ; mais ça, c'est un extrait d'ambroisie[4], un pur nectar[5] !"
> » *À ces mots, je lui versai une nouvelle rasade*[6] *de mon vin couleur-de-feu. Trois fois je lui en offris, trois fois il le but goulûment*[7]*, le pauvre fou ! Mais dès que le vin eut troublé son esprit, je lui tins ce discours enrobé de miel :*
> "Cyclope, puisque tu veux savoir mon nom illustre, je vais te le dire ; mais toi, donne-moi un cadeau d'hospitalité, comme tu me l'as promis. Mon nom est Personne[8]. Personne, oui, c'est ainsi que m'appellent ma mère, mon père ainsi que tous mes amis."
> » *Je dis ; et ce cœur impitoyable*[9] *me répondit :*

Notes

1. **breuvage** : boisson ; il s'agit ici du vin.
2. **hospitalité** : accueil des étrangers ; l'hospitalité est très importante dans la Grèce antique.
3. **Zeus** : roi des dieux chez les Grecs.
4. **ambroisie** : nourriture réservée aux dieux.
5. **nectar** : boisson réservée aux dieux.
6. **rasade** : verre plein.
7. **goulûment** : rapidement, comme en se jetant dessus.
8. **Personne** : Homère joue sur les mots car, en grec, ce mot ressemble au mot « ruse ».
9. **impitoyable** : sans pitié.

"Eh bien, je mangerai Personne en dernier, après tous ses compagnons : les autres passeront avant toi, voilà ce que j'ai à t'offrir."

» Puis il chancela[1] et tomba à la renverse ; son cou énorme s'inclina, et le sommeil le terrassa.

[Ulysse et ses compagnons ont taillé et chauffé un gigantesque pieu.]

Mes compagnons firent cercle autour de moi : une divinité leur avait insufflé un grand courage, si bien qu'ils saisirent le pieu aiguisé par le bout et l'enfoncèrent dans l'œil du Cyclope. Moi, je pesais dessus de tout mon poids et le faisais tourner, comme on perce la poutre d'un navire avec une tarière[2]. Ils tournaient et retournaient le pieu rougi au feu dans l'œil du Cyclope. Le sang giclait autour du bois brûlant. Jaillie de sa prunelle en feu, la vapeur faisait griller ses paupières et ses sourcils : son œil grésillait jusqu'à la racine.

» Il hurla comme une bête fauve : les roches alentour retentirent. Épouvantés, nous avions reculé au fond de la caverne, tandis qu'il arrachait de son œil le pieu trempé de sang, et qu'il le rejetait au loin, d'un geste affolé.

» À grands cris il appela les Cyclopes qui habitaient dans les grottes des alentours, sur les cimes battues des vents. Ameutés[3] par ces cris, ceux-ci accoururent de tous côtés et, restés à l'extérieur de la caverne, lui demandèrent quel était son mal :

"Pourquoi donc, Polyphème, pousses-tu ces hurlements de douleur dans la nuit divine ? Pourquoi troubles-tu ainsi notre sommeil ? Chercherait-on à voler ton troupeau ? Chercherait-on à porter atteinte à ta personne par la force ou la ruse ?"

» Du fond de son antre, le puissant Polyphème leur répondit :

"C'est par la ruse, et non par la force, qu'on veut me tuer, mes amis, et c'est l'œuvre de Personne."

» Ceux-ci lui adressèrent alors ces mots ailés :

Notes

1. **chancela** : perdit l'équilibre.
2. **tarière** : outil destiné à percer le bois.
3. **ameutés** : attirés en grand nombre.

> "Si tu es seul et que personne ne te fait violence, nous ne pouvons rien contre la maladie que t'envoie le grand Zeus. Adresse plutôt tes prières à Poséidon[1], ton père souverain."
>
> *» Sur ces mots, ils s'éloignèrent ; et moi je riais en moi-même : ce nom de Personne et ma personne avisée[2] les avaient bien trompés !*

Homère, l'*Odyssée*, Chant IX, Traduction de Marie-Rose Rougier, Bibliocollège, © Hachette Éducation, 2016.

Questions sur le texte 1

A. Pourquoi Ulysse dit-il au cyclope qu'il se nomme Personne ?

B. Quelles sont les qualités d'Ulysse dans ce passage ?

C. Quels sont les défauts du cyclope ?

2 Jean de La Fontaine, « Le Renard et la Cigogne », *Fables*, Livre 1, fable XVIII

Grand admirateur des Anciens, c'est-à-dire de l'Antiquité, Jean de La Fontaine, auteur du XVIIe siècle, s'inspire des fables du Grec Ésope pour imaginer ses propres histoires. Le renard, dont on connaît bien le caractère rusé quand on a lu « Le Corbeau et le Renard » (fable II), revient souvent sous la plume du célèbre fabuliste.

Notes

1. **Poséidon** : dieu des mers et père de Polyphème.
2. **avisée** : qui sait comment agir.

Le Renard et la Cigogne

Compère le Renard se mit un jour en frais[1],
Et retint à dîner commère[2] la Cigogne.
Le régal fut petit et sans beaucoup d'apprêts[3] :
Le Galant[4] pour toute besogne[5],
Avait un brouet clair[6]; il vivait chichement[7].
Ce brouet fut par lui servi sur une assiette :
La Cigogne au long bec n'en put attraper miette;
Et le drôle eut lapé le tout en un moment.
Pour se venger de cette tromperie,
À quelque temps de là, la Cigogne le prie[8].
Volontiers, lui dit-il; car avec mes amis
Je ne fais point cérémonie[9].
À l'heure dite, il courut au logis
De la Cigogne son hôtesse[10];
Loua très fort la politesse,
Trouva le dîner cuit à point.
Bon appétit surtout; Renards n'en manquent point.
Il se réjouissait à l'odeur de la viande
Mise en menus morceaux, et qu'il croyait friande[11].
On servit, pour l'embarrasser,
En un vase à long col et d'étroite embouchure[12].

Notes

1. **se mit en frais** : fit des efforts.
2. Le compère et la commère sont en général le parrain et la marraine d'un même enfant.
3. **sans beaucoup d'apprêts** : peu préparé.
4. **Galant** : jeune homme aimable.
5. **besogne** : résultat de son travail.
6. **brouet clair** : soupe peu épaisse.
7. **chichement** : pauvrement.
8. **le prie** : l'invite.
9. **je ne fais point cérémonie** : je réponds simplement.
10. **hôtesse** : personne (personnage féminin) qui reçoit; quand il s'agit d'un personnage masculin, on parle d'« hôte ».
11. **friande** : délicieuse.
12. **embouchure** : ouverture.

Le bec de la Cigogne y pouvait bien passer;
Mais le museau du Sire était d'autre mesure.
Il lui fallut à jeun[1] retourner au logis,
Honteux comme un Renard qu'une Poule aurait pris,
Serrant la queue, et portant bas l'oreille.
Trompeurs, c'est pour vous que j'écris :
Attendez-vous à la pareille[2].

Jean de La Fontaine, « Le Renard et la Cigogne »,
Fables, Livre 1, XVIII, 1668.

Questions sur le texte 2

A. Quel rôle jouent les deux derniers vers ?

B. Sans compter les deux derniers vers, quelles sont les deux grandes parties de la fable ? Donnez un titre à chacune d'elles et justifiez oralement votre choix.

C. Pourquoi le renard est-il *« honteux »* à la fin de l'histoire ?

3 Charles Perrault, *Le Petit Poucet*

Au XVIIIe siècle, Charles Perrault s'intéresse aux contes populaires transmis oralement. Les rédigeant soigneusement, il leur donne une dimension littéraire qui leur permet de nous toucher encore aujourd'hui. Le personnage principal du *Petit Poucet* est un jeune garçon *« guère plus gros que le pouce »*, le plus jeune des sept fils d'un bûcheron et le souffre-douleur de la famille. Il est pourtant beaucoup plus malin que les autres…

Notes

1. **à jeun** : sans avoir mangé.

2. **la pareille** : une pareille histoire.

Il vint une année très fâcheuse[1], et la famine fut si grande que ces pauvres gens résolurent de se défaire[2] de leurs enfants. Un soir que ces enfants étaient couchés, et que le bûcheron était auprès du feu avec sa femme, il lui dit, le cœur serré de douleur :

« Tu vois bien que nous ne pouvons plus nourrir nos enfants ; je ne saurais les voir mourir de faim devant mes yeux, et je suis résolu de les mener perdre demain au bois, ce qui sera bien aisé, car, tandis qu'ils s'amuseront à fagoter[3], nous n'avons qu'à nous enfuir sans qu'ils nous voient.

— Ah ! s'écria la bûcheronne, pourrais-tu toi-même mener perdre tes enfants ! »

Son mari avait beau lui représenter leur grande pauvreté, elle ne pouvait y consentir[4] ; elle était pauvre, mais elle était leur mère. Cependant, ayant considéré quelle douleur ce lui serait de les voir mourir de faim, elle y consentit, et alla se coucher en pleurant.

Le Petit Poucet ouït[5] tout ce qu'ils dirent, car ayant entendu de dedans son lit qu'ils parlaient d'affaires, il s'était levé doucement et s'était glissé sous l'escabelle[6] de son père, pour les écouter sans être vu. Il alla se recoucher et ne dormit point le reste de la nuit, songeant à ce qu'il avait à faire.

Il se leva de bon matin, et alla au bord d'un ruisseau, où il emplit ses poches de petits cailloux blancs, et ensuite revint à la maison. On partit, et le Petit Poucet ne découvrit[7] rien de tout ce qu'il savait à ses frères. Ils allèrent dans une forêt fort épaisse, où, à dix pas de distance, on ne se voyait pas l'un l'autre. Le bûcheron se mit à couper du bois et ses enfants à ramasser des broutilles[8] pour faire des fagots. Le père et la mère, les voyant

Notes

1. **fâcheuse** : mauvaise.
2. **résolurent de se défaire** : décidèrent de se débarrasser.
3. **fagoter** : faire des fagots.
4. **y consentir** : l'accepter.
5. **ouït** : entendit (ancien verbe *ouïr*).
6. **escabelle** : siège bas, souvent à trois pieds.
7. **découvrit** : révéla.
8. **broutilles** : petites branches.

occupés à travailler, s'éloignèrent d'eux insensiblement[1], et puis s'enfuirent tout à coup par un petit sentier détourné. Lorsque ces enfants se virent seuls, ils se mirent à crier et à pleurer de toute leur force. Le Petit Poucet les laissait crier, sachant bien par où il reviendrait à la maison, car en marchant il avait laissé tomber le long du chemin les petits cailloux blancs qu'il avait dans ses poches. Il leur dit donc :

« Ne craignez point, mes frères ; mon père et ma mère nous ont laissés ici, mais je vous ramènerai bien au logis : suivez-moi seulement. »

Ils le suivirent, et il les mena jusqu'à leur maison, par le même chemin qu'ils étaient venus dans la forêt. Ils n'osèrent d'abord entrer, mais ils se mirent tous contre la porte, pour écouter ce que disaient leur père et leur mère.

Dans le moment que[2] le bûcheron et la bûcheronne arrivèrent chez eux, le seigneur du village leur envoya dix écus, qu'il leur devait il y avait longtemps, et dont ils n'espéraient plus rien. Cela leur redonna la vie, car les pauvres gens mouraient de faim.

Le bûcheron envoya sur l'heure sa femme à la boucherie. Comme il y avait longtemps qu'elle n'avait mangé, elle acheta trois fois plus de viande qu'il n'en fallait pour le souper de deux personnes. Lorsqu'ils furent rassasiés[3], la bûcheronne dit :

« Hélas ! où sont maintenant nos pauvres enfants ! Ils feraient bonne chère[4] de ce qui nous reste là. Mais aussi Guillaume, c'est toi qui les as voulu perdre ; j'avais bien dit que nous nous en repentirions[5]. Que font-ils maintenant dans cette forêt ? Hélas ! mon Dieu, les loups les ont peut-être déjà mangés ! »

Charles Perrault, *Le Petit Poucet*, 1697.

1. **insensiblement** : sans être vus.
2. **Dans le moment que** : pendant que.
3. **furent rassasiés** : n'eurent plus faim.
4. **feraient bonne chère** : feraient un bon repas.
5. **nous nous en repentirions** : nous le regretterions.

Questions sur le texte 3

A. Quels sont les trois personnages rusés dans ce passage ? En quoi consistent les deux ruses ? Dans quels buts ?

B. En quoi Le Petit Poucet est-il différent de ses frères ?

4 J.R.R Tolkien, *Bilbo Le Hobbit*

Bilbo le Hobbit et Gandalf le magicien accompagnent un groupe de nains pour les aider à reprendre leur trésor volé par un dragon. En chemin, Bilbo et les nains sont capturés par des trolls, bien décidés à les manger.

> Ce fut alors que Gandalf revint. Mais personne ne le vit. Les trolls[1] venaient de décider de rôtir les nains tout de suite pour les manger plus tard : l'idée venait de Bert et, après une longue discussion, tous s'y étaient ralliés[2].
>
> – Pas la peine de les rôtir maintenant, ça prendrait toute la nuit, dit une voix.
>
> Bert crut que c'était celle de William.
>
> – Ne reprends pas toute la discussion, Bill, dit-il; sans quoi il y faudra en effet toute la nuit.
>
> – Qui donc discute ? dit William, croyant que c'était Bert qui avait parlé.
>
> – Toi, dit Bert.
>
> – Tu mens, dit William.
>
> Et la discussion reprit de plus belle. Finalement, ils décidèrent de hacher menu les nains et de les faire bouillir. Ils sortirent donc une grande marmite noire et tirèrent leurs couteaux.
>
> – On ne peut pas les faire bouillir ! on n'a pas d'eau, et le puits est au diable[3], dit une voix.

Notes

1. **troll** : créature malveillante dans la mythologie scandinave.

2. **tous s'y étaient ralliés** : tous partageaient cet avis.

3. **est au diable** : est très loin.

Bert et William crurent que c'était celle de Tom.

– La ferme ! dirent-ils. On n'en finira jamais. Et tu iras chercher l'eau toi-même, si tu l'ouvres encore.

– La ferme toi-même ! dit Tom, qui pensait que c'était la voix de William. Qui discute, sinon toi, je voudrais bien le savoir !

– Tu n'es qu'un idiot, dit William.

– Idiot toi-même ! dit Tom.

Et la discussion reprit de plus belle et poursuivit plus chaude que jamais, jusqu'à ce qu'enfin ils décident de s'asseoir sur les sacs l'un après l'autre pour les écraser et les faire bouillir ultérieurement[1].

– Par lequel va-t-on commencer ? dit une voix.

– Le mieux est de commencer par le dernier bonhomme, dit Bert, dont l'œil avait été endommagé par Thorïn.

Il croyait que c'était Tom qui parlait.

– Ne parle pas tout seul ! dit Tom. Mais si tu veux t'asseoir sur le dernier, fais-le. Lequel est-ce ?

– Celui qu'a des bas jaunes, dit Bert.

– Allons donc, c'est celui qu'a des bas gris, dit une voix semblable à celle de William.

– J'ai bien vu qu'ils étaient jaunes, dit Bert.

– Ils étaient jaunes, dit William.

– Alors pourquoi qu't'as dit qu'ils étaient gris ? dit Bert.

– J'ai jamais dit ça. C'est Tom qui l'a dit.

– Jamais de la vie ! dit Tom. C'était toi.

– Deux contre un, alors boucle-la ! dit Bert.

– À qui qu'tu causes ? dit William.

– Oh, assez ! dirent Tom et Bert ensemble. La nuit s'avance et l'aube vient de bonne heure. Finissons-en.

Note

1. **ultérieurement** : plus tard.

– Que l'aube vous saisisse tous et soit pour vous de pierre ! dit une voix qui sonnait comme celle de William. Mais ce n'était pas elle. Car, juste à ce moment, la lumière parut au-dessus de la colline, et il y eut un puissant gazouillis dans les branches. William ne souffla mot : il avait été pétrifié là, tandis qu'il se baissait ; et Bert et Tom avaient été plantés comme des rocs pendant qu'ils le regardaient. Et ils se dressent encore là à ce jour, tout seuls, à moins que les oiseaux ne perchent sur leur personne ; car, vous le savez sans doute, les trolls doivent se trouver sous terre avant l'aurore, ou ils retournent à la matière des montagnes dont ils sont sortis et ne font plus un mouvement. C'était ce qui était arrivé à Bert, Tom et William.

– Excellent ! dit Gandalf, sortant de derrière un arbre et aidant Bilbo à descendre d'un arbrisseau épineux.

Bilbo comprit alors. C'était la voix du magicien qui avait maintenu la querelle et la zizanie entre les trolls jusqu'à ce que la lumière du jour vînt[1] en finir avec eux.

J.R.R Tolkien, *Bilbo Le Hobbit*, 1937, Traduction de Francis Ledoux,

Questions sur le texte 4

A. En quoi consiste la ruse de Gandalf ? Dans quel but agit-il ?

B. Quel est le niveau de langue employé par les trolls ? Quel est l'effet produit selon vous ?

C. Le passage vous semble-t-il effrayant ou amusant ? Justifiez votre réponse.

Note

1. **vînt** : vienne. Le verbe n'est pas au passé simple (*vint*), mais à l'imparfait du subjonctif.

6 Lecture d'images et histoire des Arts

1 *Le Médecin malgré lui*, Acte I, scène 1, mise en scène de Dario Fo (1990)

Document 1

Catherine Hiegel joue le rôle de Martine et Richard Fontana celui de Sganarelle.

Comédie-Française, 1990.

Dramaturge, metteur en scène et comédien italien, Dario Fo est né en 1926 en Italie. Il est mort en 2016 près de Milan. Écrivain engagé, il défend le théâtre de rue et n'hésite pas à jouer dans les usines. S'inspirant de la farce médiévale et de la *commedia dell'arte*, il affectionne les acrobaties et les pitreries ; il invite ses comédiens à improviser.
En 1990, il met en scène pour la Comédie-Française *Le Médecin volant* et *Le Médecin malgré lui* de Molière. Il obtient le prix Nobel de littérature en 1997.

Questions sur le document 1

A. Qu'exprime le visage de Martine quand elle comprend que son mari vient de repousser l'échelle appuyée sur l'arbre ?

B. Pourquoi selon vous Dario Fo a-t-il choisi de placer Sganarelle dans un arbre au début de la pièce ?

C. Comment la mise en scène rend-elle compte de la dispute ?

D. Quelle atmosphère le décor crée-t-il ?

2) *Le Médecin malgré lui*, Acte I, scène 5, mise en scène de Dario Fo (1990)

Document 2

Philippe Torreton (Lucas), Richard Fontana (Sganarelle) et Marcel Bozonnet (Valère).

Comédie-Française, 1990.

Si le metteur en scène italien Dario Fo a accepté de mettre en scène *Le Médecin volant* et *Le Médecin malgré lui*, deux courtes comédies de Molière, c'est sans doute qu'il appréciait la simplicité comique de ces pièces, la place des jeux de scène et les exagérations inspirées de la farce et de la *commedia dell'arte*.
Le document 2 représente la scène 5 de l'acte I, la rencontre entre Sganarelle (joué par Richard Fontana) et les deux envoyés de Géronte, Valère (Marcel Bozonnet) et Lucas (Philippe Torreton).

Questions sur le document 2

A. Pourquoi selon vous Dario Fo a-t-il choisi de faire jouer Sganarelle assis par terre ?

B. Retrouvez la réplique de la scène 4 (acte I) dans laquelle Martine décrit les vêtements de son mari à Valère et Lucas. Le costume et le maquillage de Sganarelle conviennent-ils à un bûcheron ? Comment expliquer ce choix de Molière et de Dario Fo ?

C. Comment Dario Fo exprime-t-il par sa mise en scène le fait que les répliques de Valère et Lucas dans cette scène 5 se font écho ?

D. Comment Valère et Lucas manifestent-ils le respect qu'ils éprouvent pour Sganarelle ? Pourquoi se montrent-ils si respectueux ?

3) Louis XIII, Anne d'Autriche et le Cardinal Richelieu à une représentation théâtrale au Palais Cardinal en 1641

Document 3

Huile sur toile de Jean de Saint-Igny, 1642.

Bibliothèque des Arts décoratifs, Paris.

Le Médecin malgré lui a été représenté pour la première fois le 6 août 1666 sur la scène du Palais-Royal.

D'abord appelé Théâtre du Palais Cardinal car il fut construit en 1637 à l'initiative du Cardinal Richelieu pour casser le monopole de la troupe royale de l'Hôtel de Bourgogne (voir page 115), le théâtre du Palais-Royal était situé à l'emplacement de l'actuelle Comédie-Française. Après la destruction de la salle du Petit-Bourbon, la troupe des Italiens et celle de Molière se partagent la scène du Palais-Royal de 1662 à 1673. Ce théâtre, qui brûlera en 1781, pouvait accueillir 1 500 personnes. Molière y a créé et joué la plupart de ses pièces.

La gravure représente le Palais Cardinal en 1641 ; la disposition est inhabituelle car le parterre a été laissé vide pour accueillir la famille royale.

Questions sur le document 3

A. Quelle est la forme de la salle ? Est-ce confortable pour les spectateurs ? Regardez les documents de la page 116 et comparez.

B. Comment les personnages importants sont-ils distingués des autres spectateurs ?

C. Quelle place occupe la scène dans la gravure ? Comment et pourquoi crée-t-elle un effet de profondeur ?

4 *Le Médecin malgré lui*, Acte I, scène 5, mise en scène de Colette Roumanoff (2016)

Document 4

Valère (Richard Delestre), Sganarelle (Serge Catanèse), et Lucas (Jean-Luc Géniteau).

Théâtre Fontaine, 2016.

Colette Roumanoff est née en 1941. Expert économique et journaliste, elle coécrit les sketches de sa fille Anne Roumanoff de 1987 à 1997. En 1993, elle obtient un grand succès en mettant en scène *Les Fourberies de Scapin* et fonde sa propre compagnie de théâtre spécialisée dans le répertoire classique. Cette troupe se produit au théâtre Fontaine à Paris.
En 2001, elle crée sa mise en scène du *Médecin malgré lui* dans laquelle elle choisit d'accentuer l'atmosphère fantaisiste et dynamique de l'œuvre de Molière.

Questions sur le document 4

A. Quel moment de la pièce l'image représente-t-elle ?

B. Colette Roumanoff privilégie-t-elle le réalisme ou la fantaisie ? Justifiez votre réponse.

C. Comment la mise en scène exprime-t-elle le fait que les répliques de Valère et de Lucas se font écho ? Examinez les costumes et la gestuelle.

D. Comparez (ressemblances et différences) la façon dont Dario Fo et Colette Roumanoff mettent en scène ce passage de la pièce. Quelle mise en scène préférez-vous ? Pourquoi ?

Frontispice de l'édition de 1666 du *Médecin malgré lui*.
Gravure de Pierre Brissart, réalisée par Jean Sauvé.

7 Et par ailleurs...

Sans nous lasser pour autant, les comédies de Molière se ressemblent souvent : nous y retrouvons des médecins mais aussi des valets et notamment Sganarelle. Partons à leur rencontre... Puis poursuivons notre voyage au pays des héros rusés.

D'AUTRES MÉDECINS CHEZ MOLIÈRE

• Des sources d'inspiration

Quand il met en scène *Le Médecin malgré lui* en 1666, Molière s'est déjà moqué des médecins dans deux courtes comédies en 1664 et 1665 :

– *Le Médecin volant* reprend une pièce italienne (*El medico volante*) et annonce *Le Médecin malgré lui*. En effet, pour retarder un mariage qui lui déplaît, Lucile fait croire qu'elle est malade; pendant ce temps, le jeune homme qu'elle aime, Valère, demande à son valet Sganarelle de se faire passer pour un médecin.

– *L'Amour médecin* est une comédie-ballet dans laquelle Molière ridiculise les médecins prétentieux et incompétents.

• Une dernière pirouette pour se moquer des médecins : *Le Malade imaginaire*

Cette pièce est la dernière jouée par Molière. Très affaibli, il y tient le rôle principal, celui du faux malade. Dans cette comédie, c'est la servante Toinette qui va se faire passer pour un médecin afin d'effrayer son maître en menaçant de lui couper un bras et de lui crever un œil.

• Vous trouverez ces trois pièces en Bibliocollège.

SGANARELLE, QUI ES-TU ?

Partageant la scène du Palais-Royal avec les comédiens italiens qu'il admire, Molière connaît bien Arlequin et Scaramouche, les *zannis* (valets) de la *commedia dell'arte*. Il pense sans doute à eux quand il crée le personnage de Sganarelle dont le nom viendrait de l'italien *sgannare* (« ouvrir les yeux »).

Valet dans *Le Médecin volant*, Sganarelle est un bûcheron dans

Le Médecin malgré lui et un père dans *L'Amour médecin*. Dans tous les cas, c'est un personnage comique que Molière aimait incarner sur scène.

Le plus grand rôle de Sganarelle est sans doute celui du valet de Dom Juan, le *« grand seigneur méchant homme »* dans la comédie spectaculaire *Dom Juan* jouée un an avant *Le Médecin malgré lui*.

On rencontre d'autres valets ou servantes chez Molière : le plus étonnant d'entre eux est Scapin (*Les Fourberies de Scapin* en 1671). N'hésitez pas à lire ou à visionner cette comédie, une des plus amusantes de notre grand dramaturge !

MOLIÈRE SUR LA TOILE

• Après la mort de Molière, sa troupe, par décision du roi, fusionne avec celle du Marais et prend le nom de Comédie-Française en 1680. Vous trouverez des informations sur Molière, notamment une biographie détaillée, en consultant le site de cette prestigieuse institution (http://www.comedie-francaise, onglet « Histoire et patrimoine », puis « Molière »).

• Site http://www.toutmoliere.net : toutes les pièces de Molière peuvent y être lues. Consultez également la biographie, les notices des œuvres ; cherchez des illustrations (onglet « Iconographie »)

• Sites de l'INA (http://www.ina.fr), Youtube : vous pourrez visionner des extraits de différentes comédies de Molière et comparer ainsi les choix des metteurs en scène. Vous trouverez notamment sur YouTube l'intégralité de la première scène dans la mise en scène de Dario Fo (doc. 1).

LE RENARD RUSÉ

• Le renard de La Fontaine

La ruse consiste le plus souvent à parvenir à ses fins en profitant de la naïveté des autres : ainsi le renard de La Fontaine, imitant celui du fabuliste grec Ésope, parvient à s'emparer du fromage que tient le corbeau ou bien sort d'un puits en s'aidant d'un malheureux bouc qu'il laisse au fond (« Le Renard et le bouc »).

– Des illustrateurs célèbres ont été inspirés par La Fontaine : Gustave Doré (http://www.lafontaine.net/illustrations/illustrations.php?artiste=dore2), Benjamin Rabier (http://www.benjaminrabier.com/DesktopDefault.aspx?tabid=176).

– Des illustrateurs contemporains comme Philippe Mignon continuent d'être inspirés par le grand fabuliste. Vous trouverez différentes éditions des célèbres fables.

– *La Fontaine aux fables* propose une belle adaptation en bande dessinée de 36 fables (éditions Delcourt, 2010).

• Un goupil nommé Renart

Le goupil, c'est le nom que l'on donne aux renards au Moyen-Âge. Mais, quand un goupil, plus rusé que les autres, devient célèbre sous le nom de Renart, c'est ce nom propre que l'on retiendra désormais pour désigner tous les goupils. Dans les récits médiévaux, sans se soucier des autres, notamment d'Ysengrin le loup, Renart déploie une imagination prodigieuse pour obtenir ce qu'il veut. Mais il rencontre parfois plus rusé que lui...

– *Le Roman de Renart*, Bibliocollège

– Le site http://classes.bnf.fr/renart/ vous permet de découvrir *Le Roman de Renart* et les magnifiques enluminures qui l'accompagnent. La page « Anthologie » vous donne accès aux différentes versions de la fable « Le Corbeau et le Renard » au fil des siècles.

LA RUSE POUR TRIOMPHER DES MÉCHANTS

• À malin, malin et demi : la revanche des victimes

– « Le Renard et la Cigogne » (page 127) propose un retournement de situation : le trompeur est enfin trompé ! En effet, pour venir à bout des puissants et des rusés, il faut se montrer plus malin qu'eux.

– Gudule, *Après vous M. de La Fontaine* (Le Livre de poche Jeunesse) imagine dans ces « contre-fables » une autre fin à une vingtaine de fables : les victimes prennent enfin leur revanche !

• La ruse contre la force

– La mythologie : certains héros grecs comme Hercule ou Achille ont une force physique surnaturelle mais d'autres surmontent les épreuves grâce à leur intelligence. Ainsi Ulysse, l'homme *« aux mille ruses »* triomphe-t-il du cyclope (voir page 124) en disant s'appeler Personne. Et, à la fin de l'épopée, c'est en se faisant passer pour un mendiant qu'il vient à bout des prétendants au trône d'Ithaque.

– Les contes : lisez notamment « Le Petit Poucet » (voir page 128) et « Le Chat botté » de Charles Perrault, « Cendrillon » et « Le Vilain Petit Tailleur » des frères Grimm.

CONSEILS de LECTURE

• *Fabliaux du Moyen-Âge* (Folio Junior) : la ruse et le rire sont au cœur de ces récits médiévaux, notamment celui du *Vilain Mire* qui a inspiré à Molière *Le Médecin malgré lui*.

• *Sacrées Sorcières* de Roald Dahl (Folio Junior) : les sorcières ont inventé un terrible stratagème pour se débarrasser des enfants mais le narrateur saura déjouer leur plan en se montrant plus rusé encore.

• *Cabot-Caboche* de Daniel Pennac (Pocket Jeunesse) : comment le chien Cabot parvient-il à se faire aimer ?

• *Céleste, ma planète* de Timothée de Fombelle (Folio Junior) : dans un monde futuriste dévasté par la pollution, le narrateur ne manque pas de ressources pour retrouver et guérir son amie atteinte d'une bien étrange maladie.

• Pour mieux connaître Molière et son époque :

– *Louison et M. Molière* de Marie-Christine Helgerson (Flammarion Jeunesse) : la jeune Louison obtient un petit rôle dans la troupe de Molière.

– *À la poursuite d'Olympe* de Annie Jay (Le Livre de poche Jeunesse) : il est difficile pour une jeune fille de choisir la liberté à l'époque de Louis XIV.

Dans la même collection

Dans la même collection (suite et fin)

LONDON
L'Appel de la forêt (84)

MARIVAUX
L'Île des esclaves (94)

MAUPASSANT
Boule de Suif (60)
Le Horla et six contes fantastiques (22)
Nouvelles réalistes (92)
Toine et autres contes (12)

MÉRIMÉE
La Vénus d'Ille (13)
Tamango (66)

MOLIÈRE
George Dandin (45)
L'Avare (16)
Le Bourgeois gentilhomme (33)
L'École des femmes (24)
Les Femmes savantes (18)
Les Fourberies de Scapin (1)
Les Précieuses ridicules (80)
Le Malade imaginaire (5)
Le Médecin malgré lui (7)
Le Médecin volant – L'Amour médecin (76)

MONTESQUIEU
Lettres persanes (47)

MUSSET
Les Caprices de Marianne (85)

NÉMIROVSKY
Le Bal (57)

OBALDIA
Innocentines (59)

OLMI
Numéro Six (90)

PERRAULT
Contes (6)

POE
Le Chat noir et autres contes (34)
Le Scarabée d'or (53)

POPPE
Là-bas (89)

RABELAIS
Gargantua – Pantagruel (25)

RACINE
Andromaque (23)
Iphigénie (86)

RENARD
Poil de carotte (32)

ROSTAND
Cyrano de Bergerac (95)

SAGAN
Bonjour tristesse (88)

SAND
La Mare au diable (4)

SHAKESPEARE
Roméo et Juliette (71)

STENDHAL
Vanina Vanini (61)

STEVENSON
L'Île au trésor (48)

STOKER
Dracula (81)

VALLÈS
L'Enfant (64)

VERNE
Le Tour du monde en quatre-vingts jours (73)
Un hivernage dans les glaces (51)

VILLIERS DE L'ISLE-ADAM
Contes cruels (54)

VOLTAIRE
Micromégas et autres contes (14)
Zadig ou la Destinée (72)

WILDE
Le Fantôme de Canterville (36)

ZOLA
Jacques Damour et autres nouvelles (39)
Au bonheur des dames (78)

ZWEIG
Le Joueur d'échecs (87)